Kartoffeln

DIE LEICHTE KÜCHE

KARTOFFELN

Das moderne Kochbuch für alle,
die kreativ kochen wollen.

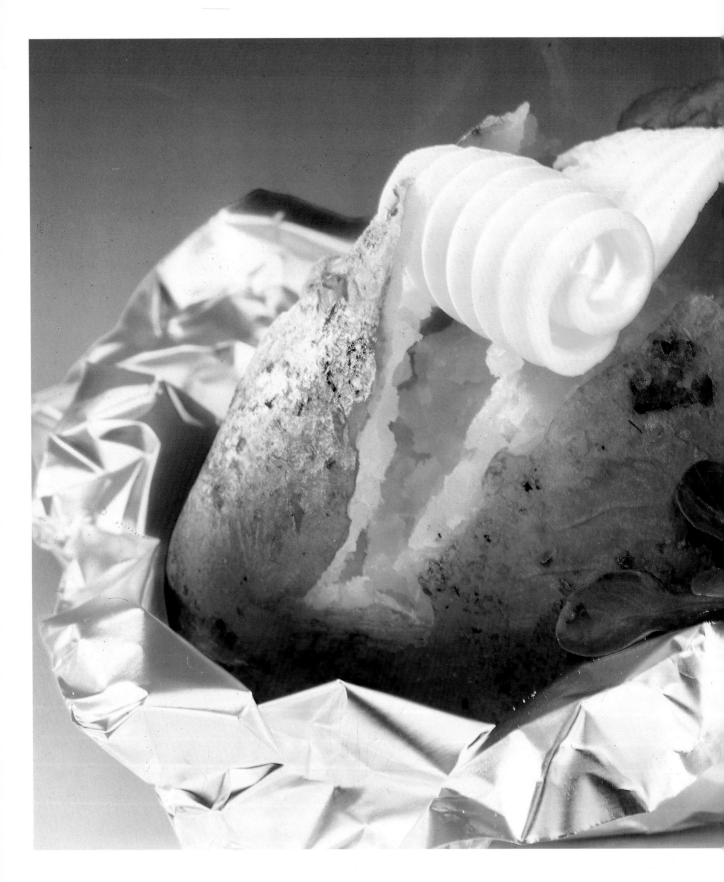

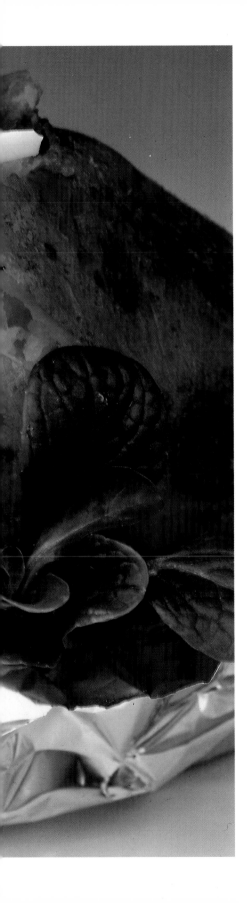

Inhaltsverzeichnis

Die tolle Knolle

Die Katoffel heißt botanisch Solanum tuberosum und gehört in die Familie der Nachtschattengewächse (Solanaceae). In der Umgangssprache wird sie auch Erdapfel genannt, Erd- oder Grundbirne. Diese Bezeichnungen sind gut nachzuvollziehen, denn die Kartoffel wächst als Knolle in der Erde und entwickelt von langgestreckt, oval bis rund ganz unterschiedliche Formen und Größen. Der Name Kartoffel leitet sich vom italienischen »tartufolo« ab, was »Trüffel« heißt.

Die Heimat der Kartoffel sind die Zentralanden Südamerikas. Die dortigen Indianer haben sie bereits in der Zeit vor Kolumbus gezüchtet und zahlreiche Sorten entwickelt. Es waren die Spanier, die sie Mitte des 16. Jahrhunderts auf die Iberische Halbinsel brachten, von wo aus sie ihren Siegeszug in die europäischen Länder antrat - allerdings nicht überall mit dem ihr gebührenden Tempo. Im Deutschen Reich zum Beispiel mußte die Kartoffel zunächst eine »Panne« überwinden: Die unkundigen Genießer hatten die am oberirdischen Sproß wachsenden kirschgroßen ungenießbaren Beeren verkostet, und die sind ihnen gar nicht gut bekommen. Der Befehl Friedrichs II. zum Kartoffelanbau in Schlesien und Pommern (1738) stieß deshalb zunächst auf Widerstand. Erst in den Hungerjahren um 1770 erkannten die Menschen den sättigenden und geschmacklichen Wert der Knolle, sie avancierte zum Volksnahrungsmittel, als das sie bis auf den heutigen Tag in unserer Ernährung nicht mehr wegzudenken ist.

Nun ist Kartoffel nicht gleich Kartoffel. Da gibt es zunächst einmal ein jahreszeitlich gebundenes Angebot. Ab Ende Mai sind Frühkartoffeln auf dem Markt. Sie haben eine ganz dünne Schale ohne Bitterstoffe, die nach gründlichem Bürsten mitgegessen werden kann - mit etwas frischer Butter und Salz eine Delikatesse. Die mittelfrühen Sorten folgen um Anfang August. Beide, die frühen und die mittelfrühen Kartoffeln, sind wie Frischprodukte anzusehen, die ohne lange Lagerung verbraucht werden sollen. Die eigentliche Lagerkartoffel - mittelspäte bis späte Sorten - ist etwa Mitte September bis Mitte Oktober zu haben. Sie wird den ganzen Winter über angeboten und kann bei vorhandenen dunklen, trockenen, frostfreien und gut belüftbaren Lagermöglichkeiten bevorratet werden.

Zur besseren Orientierung und zum Schutz des Verbrauchers wurden Qualitätskriterien festgelegt, die laut allgemein verbindlicher Handelsklassenverordnung über folgendes Auskunft geben:

- Handelsklasse: Klasse Extra, I und II, die bei langen Sorten einen Mindestdurchmesser von 30 mm, bei runden Sorten von 35 mm aufweisen müssen. In der Klasse Drillinge sind besonders kleine Kartoffeln zu finden.

- Kochtyp: Festkochende Salatkartoffeln werden von vorwiegend festkochenden (mäßig fest bis schwach mehlig) und mehligkochenden (locker, mehlig, leicht trocken) Kartoffeln unterschieden.

- Sorte: Die einzelnen Sorten - es gibt weltweit über 1000 - tragen Namen, zum Beispiel Sieglinde, Hansa, Dunja, Grata usw., und müssen angegeben werden. Sie unterscheiden sich in Farbe (gelb oder hellgelb) und Geschmack, den beiden auffallendsten Merkmalen für den Verbraucher.

- Einfüllgewicht: Die gewaschenen und nach Größe sortierten Kartoffeln werden in Gebinden abgepackt, das Gewicht muß angegeben werden.

- Abpackbetrieb: Auf der Verpackung muß der Abpackbetrieb genannt sein. Er steht letztlich dafür ein, daß die Ware sortenrein, gesund, ganz, fest und praktisch sauber ist. Die Kartoffeln gehören weder zum Gemüse noch zu den Früchten. Sie präsentieren eine warenkundlich eigenständige Gruppe und zählen in der Küche zum variantenreichsten Nahrungsmittel. In ihrer ursprünglichen Beschaffenheit, verarbeitet oder als Kartoffelerzeugnis ist die Kartoffel bei allen Garmethoden anzutreffen, durchläuft alle Sparten der Menükarte, ist als Kuchen auf der Kaffeetafel und als Schnaps zu finden. Ihre verbreitetste Anwendung findet sie als Beilage. Gerade hier ist die Anzahl der Zubereitungen bereits unübersehbar groß und weist in allen Rezeptgruppen zusätzlich zahlreiche Varianten auf. Das Spektrum umfaßt Salzkartoffeln, Bratkartoffeln, Röstkartoffeln, Rösti, Reibekuchen, Kartoffelpüree, Plinsen, Klöße und Knödel, Kroketten, Pommes frites, Pommes chips und wie sie noch alle heißen. Ihr neutraler Geschmack macht sie besonders geeignet als bindende oder sättigende Zutat in Suppen, Eintöpfen, Aufläufen, Fleisch-, Fisch- und Gemüsegerichten.

Die deutsche Küche hat möglicherweise eine besonders große Vielfalt entwickelt, doch haben auch die überregionalen und internationalen Küchen feine Kartoffelspeisen zu bieten.

Übrigens: Wenn nicht anders angegeben, sind die Rezepte in diesem Buch für 4 Personen berechnet.

Folgende Abkürzungen wurden verwendet:

EL	Eßlöffel
TL	Teelöffel
l	Liter
ml	Milliliter
g	Gramm
kg	Kilogramm
TK	Tiefkühlkost

Ein wenig praktisches Wissen

Kartoffelsorten

»Wer die Wahl hat, hat die Qual« - dieses Motto ist durchaus auf die Kartoffel zu übertragen. Immerhin gibt es in Deutschland über 160 Kartoffelsorten, von denen etwa 60 Sorten als Speisekartoffeln angeboten werden. Wie gut, daß die Dreiteilung nach ihren Kocheigenschaften - festkochend, vorwiegend festkochend, mehligkochend - eine erste Orientierung ermöglicht. Doch sind es nicht nur diese Merkmale, nach denen die Sorten unterschieden werden. Die äußere Form, die Beschaffenheit der Schale, die Fleischfarbe, die Konsistenz und der typische Geschmack sind die wichtigsten Sortenmerkmale, die sowohl für den Züchter als auch für den Verbraucher Bedeutung haben und den Ausschlag darüber ge-

ben, ob eine Kartoffel als gut beurteilt wird oder nicht.

Die Knollen sind unterschiedlich groß, sie sind in ihrer Form rund, oval oder nierenförmig, und sie besitzen mehr oder weniger tief liegende »Augen«, die sich meist an einem Knollenende häufen. Die Farbe der Schale reicht von Weiß über Gelbtöne bis zu Violett, die Farbe des Fruchtfleisches ist hellgelb bis gelb.

Die Kocheigenschaft der Kartoffel wird von ihrem Stärkegehalt bestimmt. Sträkearme Sorten bleiben beim Kochen fest und sind für Salate und Bratkartoffeln hervorragend geeignet. Mehligkochende Sorten enthalten dagegen mehr Stärke und sind weich. Sie springen beim Kochen schneller auf, kochen locker, sind trockener und grobkör-

niger. Diese Eigenschaften bestimmen ihre Verwendung für Suppen, Klöße, Eintopfgerichte und vor allem für Kartoffelteige. Zwischen diesen beiden liegen die Sorten mit mittlerem Stärkeanteil, nämlich die vorwiegend festkochenden, die beim Kochen kaum aufspringen, feinkörnig sind und ein wenig feucht.

Auf der sogenannten Kartoffelbörse werden die einzelnen Sortenbeschreibungen festgelegt. Als Beispiel hier die mehligkochende Sorte Adretta:
»Adretta ist eine mittelfrühe Speisekartoffelsorte ..., die sich auch hervorragend zur Bevorratung und Einkellerung eignet. Ihre Kocheigenschaft - mehligkochend - hat viele Anhänger in den neuen fünf Bundesländern. Es ist damit zu rechnen, daß sie sich auch in den alten

Bundesländern als mehlige Sorte schnell einen guten Ruf schaffen kann. Im Anbau ist sie die verbreitetste Sorte in den neuen Bundesländern. Die ausgezeichnete Speisekartoffel mit flachen Augen und hellgelber bis gelber Fleischfarbe und rundovaler Knollenform ist hervorragend geeignet für Pürees, mehlige Aufläufe und Eintöpfe sowie für Klöße, Knödel und andere Kartoffelgerichte.«

AckerGold ist eine Qualitätsbezeichnung, keine Kartoffelsorte. Dieser Qualitätsware liegt ein Vertragssystem zugrunde, in dem die Abpackbetriebe die Sorten, die Mengen, die Lieferzeiten und vor allem die Qualitäten festlegen mit gegenseitiger Qualitätskontrolle.

Kartoffeln in der Ernährung

Eine Kartoffel besteht bis zu 77 % aus Wasser und bis zu 16 % aus Kohlenhydraten, vorwiegend Stärke. Die Aufnahme von Kohlenhydrat-Energie liegt in den westlichen Ländern unter den empfohlenen Werten und stammt zudem in hohen Anteilen aus Zucker. Die Kartoffel kann einen

wesentlichen Beitrag leisten, die Ernährung vernünftiger zu gestalten. Der Konsum von Kartoffeln war bis Anfang der achtziger Jahre stark rückläufig, hat aber seither einen deutlichen Aufwärtstrend zu verzeichnen.

Die Kartoffel ist praktisch fett- und natriumfrei und enthält wertvolle Inhaltsstoffe: bis zu 2,5 % Ballaststoffe, 2 % Eiweiß, 1,1 % Vitamine - vor allem B_1, B_6, C und Folsäure, 1 % Mineralstoffe (Kalium, Magnesium, Eisen, Phosphor, Calcium). Die Qualität des Kartoffeleiweißes wird in der Literatur vielfach in die Nähe der Proteine tierischer Herkunft gerückt.

Die Zubereitungsart, das heißt das Kochen mit der Schale oder geschält, hat großen Einfluß auf die Erhaltung dieser Inhaltsstoffe. Vitamin B_1 geht zum Beispiel bei der ungeschälten Kartoffel zu 9 %, bei der geschälten zu 15 % verloren; für Vitamin C lauten die Zahlen 11 % und 32 %; noch deutlicher sind die Verluste bei den Mineralstoffen, bei Kalium zum Beispiel

0,4 % bei der ungeschälten und 20 % bei der geschälten Kartoffel, bei Eisen sind es 2 % und 26 %. Wo immer es möglich ist, sollten Kartoffeln also als Pellkartoffeln gekocht werden.

Für alle, die die Kartoffel bisher für einen Dickmacher gehalten haben, hier noch ein paar interessante Vergleichswerte: 100 Gramm gekochte Kartoffeln haben 68 kcal; 100 Gramm gekochter Reis dagegen fast doppelt soviel, nämlich 128 kcal; und 100 Gramm gekochte Nudeln bringen schon 159 kcal mit.

Die Kartoffel ist ernährungsphysiologisch also eine gute Empfehlung.

Für die Vor- und Zubereitung von Kartoffeln gibt es im Haushalt eine Vielzahl nützlicher Helfer.

Grundzubereitungen, Grundrezepte

Salzkartoffeln

1 kg Kartoffeln

1 l Wasser

Salz

Die Kartoffeln schälen und waschen, große Kartoffeln halbieren. Die Größe sollte möglichst gleich sein, damit die Kartoffeln gleichmäßig gar werden. Die Kartoffeln in einen Topf geben und das Wasser einfüllen - es sollte immer so viel sein, daß die Kartoffeln knapp bedeckt sind. Wenig Salz einstreuen. Den Topf mit einem Deckel schließen, das Wasser zum Kochen bringen und die Kartoffeln in etwa 25 Minuten garen. Das Wasser abgießen, die Kartoffeln auf der Kochstelle kurz trockendämpfen. Als Beilage sofort anrichten, nach Belieben mit gehackter Petersilie bestreuen.

Pellkartoffeln

1 kg Kartoffeln

1 l Wasser

Möglichst gleich große Kartoffeln aussuchen. Die Kartoffeln waschen und gründlich bürsten. Sie sollten so sauber sein, daß die Schale nach Belieben mitgegessen werden kann. In einen Topf geben, das Wasser dazugeben und zugedeckt zum Kochen bringen. In etwa 25 Minuten garen und abgießen. Zur weiteren Verwendung bzw. zum Servieren pellen.

Pellkartoffeln werden für Kartoffelsalat, Kartoffelpüree und Kartoffelteig zubereitet, auch für die in der Schweiz so berühmten Rösti.

Kartoffelpüree

1 kg mehligkochende Kartoffeln

1 l Wasser

3/8 l Milch

Salz

frisch geriebene Muskatnuß

Die Kartoffeln gründlich waschen und bürsten und in dem Wasser als Pellkartoffeln kochen. Abgießen, pellen und heiß durch eine Kartoffelpresse drücken.

Inzwischen die Milch mit Salz und Muskat zum Kochen bringen. Die Milch mit dem elektrischen Handrührgerät oder mit dem Schneebesen nach und nach einarbeiten, es soll eine lockere Masse entstehen. Abschmecken.

Wer mag, kann den Kartoffelbrei mit 1-2 TL Butter oder 2 EL Sahne verfeinern. Auch aus Salzkartoffeln, abgegossen und zerstampft, kann Kartoffelpüree zubereitet werden.

Kartoffelteig

1 kg Kartoffeln

125 g Mehl

Salz

2 Eier

Die Kartoffeln waschen und als Pellkartoffeln kochen. Abgießen, pellen und heiß durch eine Kartoffelpresse drücken, erkalten lassen.

Das Mehl mit etwas Salz über die Kartoffeln streuen, mit der Gabel grob untermischen. Die Eier in eine kleine Schüssel aufschlagen und mit einer Gabel verquirlen. Über die Kartoffeln gießen, zunächst mit der Gabel einarbeiten, dann mit den Händen einen gleichmäßigen, nicht zu festen Teig wirken. Er soll nicht kleben, dann noch etwas Mehl einarbeiten. Sofort weiterverarbeiten.

Kartoffelteig ist die Grundmasse für Knödel oder Nockerl und für Kroketten. Für feine Kroketten kann die Zusammensetzung des Kartoffelteiges wie folgt verändert werden: auf 1 kg durchgepreßte Kartoffeln 4 EL zerlassene Butter, 2 Eigelb und 1 Ei einarbeiten, mit Salz, Pfeffer und Muskat abschmecken.

Bratkartoffeln aus gekochten Kartoffeln

1 kg Kartoffeln

4-5 EL Butter oder Öl

Salz

Die Kartoffeln gründlich waschen und als Pellkartoffeln nicht ganz weich kochen, dies erfolgt am besten am Vortag. Die Kartoffeln pellen und in nicht zu dünne Scheiben schneiden. Butter oder Öl oder beides zusammen in einer Pfanne gut erhitzen, die Kartoffelscheiben einlegen und zunächst mit Farbe und Kruste anbraten. Unter Wenden mit der Bratschaufel goldbraun braten. Salzen.

Wichtig: Das Fett muß gut heiß sein, sonst nehmen die Kartoffeln zuviel davon auf.

Nach Belieben können in dem Fett auch Speckwürfel oder/und eine feingehackte Zwiebel mitgebraten werden.

Bratkartoffeln aus rohen Kartoffeln

1 kg Kartoffeln

4 EL Öl (bei Bedarf mehr) oder Speckwürfel

Salz

frisch gemahlener Pfeffer

Die Kartoffeln schälen, waschen und in dünne Scheiben, Würfel oder Stifte schneiden. Das Öl oder ausgebratene Speckwürfel in der Pfanne erhitzen und die Kartoffeln dazugeben. Bei mittlerer Hitze zunächst 10 Minuten bei geschlossenem Deckel anbraten. Dann salzen, pfeffern und in der offenen Pfanne weitere 20 Minuten unter Wenden mit der Bratschaufel schön goldbraun rösten.

Wer bei starker Hitze das Bräunen erzwingen will, riskiert schwarze, angebrannt schmeckende Stücke.

Bratkartoffeln mit Eiern und Kräutern

1 kg festkochende Kartoffeln

60 g Butter

2 große Zwiebeln

6 Eier

1/8 l Sahne

Salz

frisch gemahlener weißer Pfeffer

je 1 EL gehackte Petersilie und Schnittlauch

Die Kartoffeln gründlich waschen und als Pellkartoffeln kochen. Abgießen, pellen, ausdampfen lassen und in Scheiben schneiden. Besser ist es, die Kartoffeln bereits am Vortag zu kochen und in der Schale erkalten zu lassen.

Die Butter in einer großen Pfanne erhitzen. Die Kartoffelscheiben einlegen und mit einer Kruste schön braun braten. die Zwiebeln schälen und würfeln und zwischendurch zu den Kartoffeln geben.

Die Eier mit der Sahne verquirlen und mit Salz und Pfeffer abschmecken. Die Petersilie und den Schnittlauch unterheben.

Die gewürzte Eiersahne schön gleichmäßig über die Bratkartoffeln gießen und stocken lassen. Sofort servieren.

Suppen und Salate

Kartoffeln pur, als Bindung und zum Sättigen

Schnelle Kartoffelsuppe mit Lauch

1 kleine Lauchstange, ersatzweise 2 Frühlingszwiebeln

1/2 l Fleischbrühe (Würfel)

1/4 l Milch

6 EL Kartoffelpüreepulver

2 EL Crème fraîche

100 g Pikantje van Gouda

frisch gemahlener Pfeffer

frisch geriebene Muskatnuß

Salz nach Geschmack

Den Lauch oder die Frühlingszwiebeln putzen und waschen, das dunkle Grün wegschneiden und die Stange(n) in möglichst dünne Ringe schneiden. Ganz kurz blanchieren, abseihen und beiseite stellen.

In einem ausreichend großen Topf die Fleischbrühe mit der Milch erhitzen. Das Kartoffelpüreepulver mit dem Schneebesen einrühren und bis zur sämigen Bindung erhitzen und dabei kräftig rühren.

Die Crème fraîche unterziehen. Den Topf vom Herd nehmen, den Deckel auflegen, aber einen Spalt offen lassen.

Den Käse auf der Gemüsereibe frisch raffeln und in die Suppe einrühren. Mit Pfeffer, Muskat und Salz abschmecken.

Die Suppe anrichten und mit den Lauch- oder Zwiebelringen bestreuen. Sie werden erst beim Essen unter die Suppe gemischt.

Übrigens: Auch eine kalte Kartoffel-Lauch-suppe schmeckt prima. Dafür 600 g Terra Nova-Kartoffeln, 2 Lauchstangen, 1 Möhre und 1 Petersilienwurzel, 40 Minuten in 1 1/2 l Gemüsebrühe gekocht, pürieren und kalt stellen. Vor dem Servieren 200 ml ganz leicht angeschlagene Sahne unterziehen und mit Möhrenwürfelchen und Schnittlauchröllchen bestreuen.

Hamburger Kartoffelsuppe

400 g vorwiegend festkochende Kartoffeln (AckerGold)

1/2 Sellerie

1 Lauchstange

3 Möhren

2 Tomaten

Petersilienwurzel

30 g Schweineschmalz

2 Zwiebeln

1 l Fleischbrühe (Würfel)

100 g durchwachsener Räucherspeck

Petersilie

Die Kartoffeln schälen, das Gemüse putzen. Alles waschen und in gleichmäßige kleine Würfel schneiden.

Das Schmalz in einem Topf erhitzen und die feingehackten Zwiebeln darin glasig schwitzen. Mit der Brühe aufgießen. Die Kartoffel- und die Gemüsewürfelchen zugeben und in 30-45 Minuten garziehen lassen.

Inzwischen den Speck klein würfeln und in einer kleinen Pfanne kroß ausbraten. Zusammen mit der feingeschnittenen Petersilie über die auf vorgewärmten Tellern angerichtete Suppe streuen.

Kartoffelsuppe französische Art

1 Dose feine Erbsen (210 ml)

1 l Flüssigkeit

1 Packung Kartoffelsuppe (4 Portionen)

80 g gekochter Schinken

frisch gemahlener Pfeffer

Die Erbsen auf einem Sieb abtropfen lassen. Das Erbsenwasser mit Wasser auffüllen und aufkochen. Darin die Kartoffelsuppe nach Packungsvorschrift zubereiten.

Den Schinken in kleine Würfel oder feine Streifchen schneiden und zusammen mit den Erbsen indie Suppe geben, kurz aufkochen lassen. Abschmecken und servieren.

Rote Kartoffelsuppe mit Favorel

1 mittelgroße Zwiebel

400 g mehligkochende Kartoffeln

250 g Fleischtomaten

2 EL Butter

3 EL Tomatenmark

1 l Gemüsebrühe

120 g Favorel-Käse

1 Bund Basilikum

1/2 TL Majoran

Salz

frisch gemahlener Pfeffer

frisch geriebene Muskatnußß

Zitronensaft

Die Zwiebel schälen und fein würfeln. Die Kartoffeln schälen, waschen und in kleine Würfel schneiden. Die Tomaten in kochendes Wasser tauchen, häuten und grob hacken.

Die Butter in einem ausreichend großen Topf erhitzen und die Zwiebel darin kräftig anschwitzen, sie soll gut Farbe nehmen. Die Kartoffeln und Tomaten mitdünsten. Das Tomatenmark hinzufügen und mit der Gemüsebrühe auffüllen. 30 Minuten köcheln lassen.

In der Zwischenzeit den Käse auf der Gemüsereibe frisch raffeln. Einige Blättchen Basilikum und Majoran waschen, trocken tupfen und fein hacken.

Die Suppe im Mixer oder mit dem Pürierstab fein pürieren. Nochmals sehr gut heiß werden lassen. Den Käse, bis auf 2 EL, und die Kräuter unterrühren. Mit Salz, Pfeffer, Muskat und wenig Zitronensaft abschmecken. Die Suppe in vorgewärmte Teller verteilen. Mit dem restlichen Käse bestreuen und mit Basilikumblättchen garnieren.

Deftige Kartoffelsuppe mit Würstchen

750 g mehligkochende Kartoffeln

100 g Sellerieknolle

100 g Möhren

1 Lauchstange

100 g mildgeräucherter Schinken

1 EL Butter

1 l Fleischbrühe (Würfel)

4 Pfefferkörner

1 Lorbeerblatt

1/2-1 l weitere Fleischbrühe

frisch gemahlener Pfeffer

frisch geriebene Muskatnuß

Salz

300 g mittelalter Holland-Gouda

Wiener Würstchen, 1-2 Stück pro Portion

Die Kartoffeln und den Sellerie schälen, die Möhren schrabben, alles waschen und in Würfel schneiden. Den Lauch putzen, waschen, das dunkle Grün abtrennen und die restliche Stange in 2 cm breite Stücke schneiden. Den Schinken würfeln.

Die Butter in einem ausreichend großen Topf nicht zu stark erhitzen und den Schinken darin ausbraten. Die Kartoffeln und das Gemüse zufügen und kurz anbraten. Die Fleischbrühe hineingießen, die Pfefferkörner und das Lorbeerblatt zugeben und zum Kochen bringen. In 30-40 Minuten alles sehr weich kochen.

Das Lorbeerblatt herausfischen. Die Suppe im Mixer oder mit dem Pürierstab pürieren und wieder in den Topf füllen. So viel Fleischbrühe zugießen, bis die wunschgemäße Dicke der Kartoffelsuppe erreicht ist. Mit Pfeffer, Muskat und Salz abschmecken.

Den Käse auf der Gemüsereibe grob raffeln. Die Würstchen in heißem Wasser erwärmen, in Stücke schneiden und in vorgewärmte Teller geben. Mit der Suppe übergießen und mit dem Käse bestreuen.

Mitternachtssuppe

400 g gekochtes Rindfleisch oder Bratenreste

1 mittelgroße Salatgurke

2 Zwiebeln

50 g durchwachsener Räucherspeck

1 Butterstückchen, etwa 10-15 g

2 Möhren

1/2 Lauchstange

Fleischbrühe (Würfel)

1 Paket Kartoffelsuppe

1 Becher saure Sahne

2 EL feingehackte Kräuter

(Dill, Petersilie, Schnittlauch, Kresse)

Das Fleisch fein würfeln oder in Streifen schneiden. Die Gurke schälen, der Länge nach halbieren, mit einem kleinen Löffel aushöhlen und in dünne Scheiben schneiden. Die Zwiebel schälen und fein würfeln. Den Speck ebenfalls in kleine Würfel schneiden.

Den Speck in einem ausreichend großen Topf bei milder Hitze auslassen, die Grieben herausnehmen und beiseite stellen. Ein Butterstückchen zugeben, die Zwiebeln einlegen und glasig schwitzen.

Inzwischen die Möhren und den Lauch putzen, waschen und in Scheiben schneiden und mit den Gurkenscheiben zufügen. Zunächst mit etwa 1/4-1/2 l Brühe aufgießen und das Gemüse weich dünsten.

Die Flüssigkeit dann auf die entsprechende Menge für die Kartoffelsuppe auffüllen und das Suppenpulver einrühren. Das Fleisch zugeben, nochmals kurz aufkochen.

Vor dem Servieren die Suppe mit den Speckgrieben bestreuen, unterheben und mit den Kräutern garnieren.

Fränkischer Kartoffelsalat

1 kg Salatkartoffeln
2 EL Öl
2 Zwiebeln
2 rote Paprikaschoten
1/8 l Wasser
1 Würfel Maggi Klare
Suppe mit Suppengrün
2 EL Essig
4 Eier
4 Gewürzgurken
1 Bund Schnittlauch

Die Kartoffeln schälen, waschen und in Würfel schneiden. Das Öl in einer tiefen Pfanne erhitzen und die Kartoffelwürfel darin goldgelb anbraten.

Die Zwiebeln schälen und in Scheiben schneiden. Die Paprikaschoten waschen, Samen und Scheidewände entfernen, das Fruchtfleisch in Streifen schneiden. Beides in die Pfanne geben und mitbraten. Das Wasser dazugießen, zum Kochen bringen und den Suppenwürfel darin auflösen. Alles 20 Minuten köcheln und anschließend in eine Schüssel geben. Noch heiß mit dem Essig beträufeln, gründlich wenden und auskühlen lassen.

Inzwischen die Eier hart kochen, pellen, auskühlen lassen und in Würfel schneiden. Die Gewürzgurken in Scheiben schneiden. Den Schnittlauch waschen und klein schneiden. Alles vorsichtig unter den abgekühlten Salat mischen. Lauwarm servieren.

Kartoffelsalat mit Mais und Leberkäse

1 kg festkochende Kartoffeln

1 Salatgurke

1 kleine Dose Gemüsemais

250 g Leberkäse

4 EL Essig

2 EL Orangensaft

2 Päckchen Iglo Grüne Küche Salat-Kräuter

Salz

frisch gemahlener Pfeffer

6 EL Öl

Die Kartoffeln schälen, waschen und in Salzwasser garen. Die Gurke schälen, der Länge nach halbieren, mit einem Teelöffel die Kerne herauskratzen und das Fruchtfleisch in Streifen schneiden. Den Mais auf einem Sieb abtropfen lassen. Den Leberkäse würfeln.

Für die Marinade Essig und Orangensaft in einer Schüssel vermischen. Die Kräuter, Salz und Pfeffer einrühren, zuletzt das Öl kräftig unterrühren. Die Kartoffeln abgießen, abdampfen und abkühlen lassen und in Scheiben schneiden.

Alle vorbereiteten Zutaten mit der Marinade vermischen. Eventuell nochmals mit Salz und Pfeffer abschmecken.

Übrigens: Durch einige in Streifen geschnittene Salatblätter erhält der Salat eine besonders knackige Note.

Kartoffelsalat mit Möhren und Erbsen

1 kg festkochende Kartoffeln (AckerGold)

1 große Gewürzgurke

1 Zwiebel

je 1 Tasse Erbsen und Möhren aus der Dose (oder tiefgekühlt, kurz gedünstet und erkaltet)

100 g durchwachsener Räucherspeck

1/8 l Fleischbrühe oder Wasser

2-3 EL würziger Essig

3-4 EL Pflanzenöl

Salz

frisch gemahlener Pfeffer

2 hartgekochte Eier

feingeschnittener Schnittlauch

Die Kartoffeln waschen, in der Schale kochen, pellen und auskühlen lassen, anschließend in feine Scheiben schneiden.

Die Gewürzgurke in feine Würfel schneiden. Die Zwiebel schälen und ebenfalls fein würfeln. Zusammen mit den Kartoffelscheiben, den Erbsen und den Möhren in eine Schüssel geben.

Für die Salatsauce den Speck in feine Würfel schneiden und in einem kleinen, weiten Topf glasig auslassen. Brühe oder Wasser und den Essig dazugeben und einmal aufkochen lassen. Mit Salz und Pfeffer würzen.

Diese pikante Sauce noch warm über die Zutaten geben, gut durchmischen und ca. 1/2 Stunde durchziehen lassen. Dann nochmals abschmecken. Ist der Kartoffelsalat etwas fest geraten, kann man noch heißes Wasser dazugeben.

Den Salat in einer Schüssel anrichten und mit Eiachteln und Schnittlauchröllchen garnieren.

Kartoffelsalat mit Hühnerbrust

500 g festkochende Kartoffeln (Ackergold)

1 große Zwiebel

1 Möhre

1 Stück Knollensellerie

2 ganze Hühnerbrüste, je 100 g

2 EL Sahne

2 EL Mayonnaise

2 EL Joghurt

1 EL kleingehackten Dill

Senf

Salz

frisch gemahlener Pfeffer

1/2 Tasse gewürfelte Dillgurken

1 EL kleingehackte Kapern

2 hartgekochte Eier

1 kleiner Kopfsalat

2 EL ganze Kapern

8 Oliven

Die Kartoffeln waschen und in der Schale kochen (am besten schon am Vortag), pellen und in Scheiben schneiden. Beiseite stellen.

Die Zwiebel schälen, die Möhre schrabben, das Selleriestück eventuell schälen. Alles grob zerteilen.

In einem nicht zu großen Topf wenig Wasser zum Kochen bringen. Das Suppengemüse und die Hühnerbrüste einlegen und in etwa 20 Minuten weich garen. Die Brüstchen herausnehmen und in Würfel schneiden.

Für die Salatsauce die Sahne mit der Mayonnaise und dem Joghurt mischen, den Dill und den Senf einrühren und mit Salz und Pfeffer abschmecken.

Die Dillgurken und die Kapern zusammen mit den Kartoffeln und den Hähnchenwürfeln unterziehen, gut durchmischen. Für 1 Stunde in den Kühlschrank stellen. Die Eier in Scheiben schneiden und vorsichtig unterheben. Den Salat abschmecken und bei Bedarf nachwürzen.

Den Kopfsalat waschen, abgetropft in Blätter teilen und fächerartig auf einer großen Servierplatte anordnen. Den Kartoffelsalat darauf anrichten, zu einer Pyramide formen und mit den Kapern und den in grobe Scheiben geschnittenen Oliven garnieren.

Kartoffelsalat mit Thunfisch

750 g festkochende Kartoffeln (AckerGold)

1 rote Paprikaschote

1 Bund Frühlingszwiebeln

1 Tasse Tiefkühlerbsen

4 hartgekochte Eier

4 EL Weinessig

Salz

reichlich frisch gemahlener Pfeffer

2 ausgepreßte Knoblauchzehen

6 EL Pflanzenöl

1 Dose Thunfisch im eigenen Saft

Die Kartoffeln waschen, in der Schale kochen, noch warm pellen und in Scheiben schneiden.

Die Paprikaschote waschen, durchschneiden, Samen und Scheidewände entfernen und das Fruchtfleisch in kleine Stückchen schneiden.

Die Frühlingszwiebeln putzen und klein schneiden. Die Erbsen in kochendem Wasser kurz antauen.

Alles Gemüse unter die Kartoffelscheiben mischen. Die Eier achteln und vorsichtig unterziehen.

Für die Marinade in einer kleinen Schüssel den Essig mit Salz, Pfeffer und Knoblauch verrühren und das Öl kräftig einrühren. Den Salat damit übergießen. Zum Schluß den Thunfisch mit einer Gabel zerpflücken und unter den Salat mischen.

In einer hübschen Schüssel anrichten und als kleine Mahlzeit mit frischem Brot servieren.

Salat von Bratkartoffeln mit Räucherlachs

800 g Terra Nova-Kartoffeln

6 EL Pflanzenöl

1/2 Salatgurke

150 g Räucherlachs

2 EL Sesamsamen

3 EL Weißweinessig

Salz

frisch gemahlener Pfeffer

1 Bund Dill

Die Kartoffeln schälen und in etwa 1 cm große Würfel schneiden. Das Öl in einer großen Pfanne erhitzen und die Kartoffelwürfel darin unter häufigem Wenden leicht braun braten. Einen Deckel auflegen und bei mäßiger Hitze noch 10 Minuten garziehen lassen.

In der Zwischenzeit die Salatgurke waschen und mit der Schale in 1 cm große Würfel schneiden. Den Lachs in Streifen schneiden. Den Sesam zu den Kartoffeln geben und kurz mitrösten.

Den Essig über die Kartoffeln sprenkeln und mit Salz und Pfeffer bestreuen, gut vermischen. Die Gurkenwürfel, den Lachs und den feingeschnittenen Dill unterheben. Ein herrlich pikanter kräftiger Salat!

Übrigens: Der Salat schmeckt auch ohne Lachs als Beilage zu kurzgebratenem Fleisch oder Fisch sehr gut.

Klöße, Knödel, Nockerl

Quer durch die Küchen der deutschen Regionen

Klöße aus rohen Kartoffeln

Grundzubereitung

1,5 kg rohe Kartoffeln, fein gerieben und in einem Tuch ausgedrückt

500 g Kartoffeln, als Salzkartoffeln gekocht und heiß durchgepreßt

1/4 l kochendheiße Milch

Salz

2 große Weißbrotscheiben, in Würfel geschnitten und in 2 EL Butter kroß geröstet

Die durchgepreßten und die roh geriebenen Kartoffeln in einer Schüssel mit der Milch und Salz zu einer homogenen Masse mischen. Gleichmäßige, schön runde Knödel formen, dabei 2-3 Brotwürfel einrollen. In kochendes Salzwasser einlegen, wieder aufwallen lassen, dann nicht mehr kochen. In etwa 20 Minuten garziehen lassen.

Sollte der Teig zu weich sein (der Knödel zerfällt beim Garen), etwas Grieß untermischen.

Zum Kochen einen großen Topf verwenden. Wenn die Klöße an die Oberfläche steigen, sind sie gar.

Mit Kloßpulver

Fertiges Kloßpulver besteht aus bereits gewürzten Kartoffelraffeln, die in Wasser quellen müssen. Nach Packungsaufschrift das Pulver in die vorgegebene Menge kalten Wassers einrühren und 10 Minuten quellen lassen. Anschließend Knödel formen und garen, wie bei der Grundzubereitung beschrieben.

Varianten

Kräuterklöße: Feingehackte Kräuter nach Wahl - einzeln oder auch gemischt - in die Kloßmasse mischen.

Speckklöße: 1 Zwiebel und 100 g Speck fein würfeln, in einer Pfanne zusammen ausbraten und in die Kloßmasse mischen.

Käseklöße: 2 EL geriebenen Emmentaler, mit 1 EL feingeschnittenem Schnittlauch vermischt, in die Kloßmasse einarbeiten.

Bratwurstklöße: Aus 300 g Brät oder aus dem Darm genommener Bratwurstmasse kleine Kugeln formen und in die Klöße einrollen.

Klöße aus gekochten Kartoffeln

gut 1 kg Kartoffeln

250 g Speisestärke

Salz

1/4-3/8 l Milch

nach Belieben 2 große Weißbrotscheiben, in Würfel geschnitten und in 2 EL Butter kroß geröstet

Die Kartoffeln waschen, in der Schale kochen, pellen, durchpressen und erkalten lassen. Mit der Speisestärke bestreuen und grob vermischen.

Die Milch aufkochen, dazugießen und zügig - zunächst mit dem Rührlöffel, dann mit den Händen - zu einer glatten Kartoffelmasse arbeiten.

Mit den Händen schöne runde Klöße in der gewünschten Größe formen. Nach Belieben geröstete Brotwürfel in die Mitte geben.

In einem weiten Topf in kochendes Wasser einlegen, nicht mehr kochen und in etwa 20 Minuten garziehen lassen.

Die Varianten, die beim rohen Kloß auf Seite 42/43 beschrieben sind, gelten auch für die Klöße aus gekochten Kartoffeln.

Serviettenkloß

Dies ist zwar eher ein Rezept für Semmelknödel, da der Kartoffelanteil recht gering ist. Doch ist das Rezept so schön, daß es in diesem Buch nicht fehlen soll.

6 altbackene Semmeln
1/4 l Milch
1 Zwiebel
1 EL Butter
1/2 Bund Petersilie
250 g am Vortag gekochte Kartoffeln
60 g Butter
5 Eier, getrennt
Salz
frisch geriebene Muskatnuß

Die Semmeln rundum etwas abreiben mit der Gemüsereibe und in Würfel schneiden. In einer Schüssel mit der kalten Milch übergießen und durchziehen lassen, anschließend locker vermischen.

Die Zwiebel schälen und fein würfeln. Die Butter erhitzen, die Zwiebel darin anschwitzen. Die Petersilie klein schneiden und mit der Zwiebel dünsten. Erkalten lassen.

Die Kartoffeln auf der Gemüsereibe fein raspeln. Die Butter mit den Eigelben schaumig rühren. Alle bis hierher vorbereiteten Zutaten mit den Semmeln schön gleichmäßig und locker vermischen.

Das Eiweiß zu steifem Schnee schlagen und unterziehen. Mit Salz und Muskat abschmecken. Einen länglichen Kloß formen, ähnlich einem kleinen Brotlaib.

Eine große Serviette in heißem Wasser ausdrücken und den Kloß locker darin einschlagen. Die vier Ecken der Serviette werden nach oben zusammengeknotet und ein Kochlöffel in den Knoten eingebunden.

Einen großen Topf mit Salzwasser füllen, zum Kochen bringen und den Kloß so hineinhängen, daß der Kochlöffelstiel auf dem Topfrand aufliegt, der Kloß aber nicht den Topfboden berührt. Das Wasser muß in gleichmäßig umgeben. In knapp 1 Stunde garziehen lassen, nicht kochen.

Den Kloß auswickeln, kurz abdampfen, aufschneiden und servieren.

Thüringer Klöße

1 1/2 kg Kartoffeln
1 TL Salz
1 Ei
1 Semmel
1 EL Butter (20 g)

Die Kartoffeln waschen und schälen. 1 kg davon in kaltes Wasser reiben. Ein Tuch in ein Sieb legen, die Kartoffeln hineinschütten und ganz trocken ausdrücken. Das Kartoffelwasser stehen lassen, bis sich die Stärke am Boden abgesetzt hat.

Inzwischen die übrigen Kartoffeln gar kochen und durch eine Presse drücken.

Die rohen Kartoffeln in eine große Schüssel geben, salzen und mit den Händen lockern. Das heiße Kartoffelpüree darübergeben und mit einem Holzlöffel rasch untermischen, damit die rohen Kartoffeln gewärmt werden. Das Kartoffelwasser vorsichtig abgießen. Die abgesetzte Stärke und das Ei unter den Teig kneten, der nicht zu weich sein soll.

Die Semmeln in kleine Würfel schneiden und in der Butter knusprig rösten. Aus dem Teig runde Klöße formen, die Semmelwürfel in die Mitte drücken.

Reichlich Salzwasser in einem weiten Topf aufkochen, die Klöße hineingeben und in 20 Minuten garziehen lassen - nicht kochen. Mit einer Siebkelle herausheben und in eine schüssel geben, auf deren Boden eine umgestülpte Untertasse liegt, damit die Klöße noch abtropfen können und nicht zusammenkleben.

Diese Klöße werden in Thüringen zum Sonntagsbraten von Schwein, Rind und Gans gereicht. Man reißt sie auf dem Teller mit der Gabel auseinander und stippt die einzelnen Happen genußvoll in die braune Bratensauce. Dazu gibt es ein kühles Bier.

Bayerische Sauerkrautklöße

1 Packung rohe
Kartoffelklöße

150 g Sauerkraut

150 g Kasseler

1 Zwiebel

1 Knoblauchzehe

1 EL Schweineschmalz

1/8 l trockener Weißwein

1 TL scharfer Senf

1 Wacholderbeere

1 Pimentkorn

2 Nelken

Salz

frisch gemahlener Pfeffer

Das Kloßpulver nach Vorschrift einweichen.

Das Sauerkraut mit einer Gabel auflockern und klein schneiden. Das Kasseler in kleine Würfel schneiden. Die Zwiebel schälen und fein würfeln. Den Knoblauch durchpressen.

In einem weiten Topf das Schweineschmalz erhitzen und die Kasselerwürfel darin anbraten. Die Zwiebel mit dem Knoblauch dazugeben und leicht Farbe nehmen lassen. Nun das Sauerkraut zugeben und darin etwas anbraten lassen. Mit dem Weißwein ablöschen. Senf, Wacholderbeere, Piment und die Nelken zugeben und mit Salz und Pfeffer würzen. Etwa 25 Minuten garen, die Gewürze herausnehmen.

Aus dem vorbereiteten Teig 8 Klöße formen, mit nassen Händen geht es besser. In die Mitte jeweils etwa 1 Eßlöffel Sauerkraut-Kasseler-Gemisch geben.

Die Klöße in einem weiten Topf in kochendes Salzwasser einlegen und in etwa 20 Minuten garziehen lassen, nicht mehr kochen. Mit der Schaumkelle herausheben und anrichten.

Zwetschgenknödel

300 g vorwiegend fest-
kochende Kartoffeln
(AckerGold)

125 g Mehl

20 g Butter

1 Prise Salz

1 Ei

10-12 Zwetschgen

10-12 Stück Würfelzucker

Butter zum Übergießen

Zimt und Zucker

Die Kartoffeln in der
Schale kochen, pellen
und noch warm durch
eine Kartoffelpresse
drücken, auskühlen
lassen.

Das Mehl über das Kar-
toffelpüree streuen, die
Butter, Salz und das Ei
dazugeben und alles zu
einem Teig vermischen,
kurz ruhen lassen.

Inzwischen die
Zwetschgen waschen
und entsteinen. In jede
Zwetschge kommt ein
Stück Würfelzucker. Aus
dem Kartoffelteig dicke
Rollen formen, gleich-
mäßige Scheiben ab-
schneiden und daraus
Klöße rollen. In jeden
Kloß eine gefüllte
Zwetschge geben.

Die Klöße in kochendes
Wasser einlegen und in
ca. 10 Minuten garzie-
hen lassen. Nicht ko-
chen. Klöße, die gar
sind, schwimmen oben.
Also nicht zu viele in einem Topf garen.

Die fertigen Knödel in
eine vorgewärmte
Schüssel geben, mit
ausgelassener, leicht
gebräunter Butter
übergießen, mit Zimt-
zucker bestreuen und
servieren.

Übrigens: Für Marillen-
knödel die Zwetschgen
austauschen und Apri-
kosen - sie heißen in
Österreich Marillen -
nehmen. Die Knödel et-
was größer formen, da-
mit die Marillen gut mit
dem Kartoffelteig um-
hüllt sind.

Pfälzer Zwetschgenknödel

1 kg vorwiegend festkochende Kartoffeln (AckerGold)

300 g Mehl

2 kleine Eier

je 1 Prise Salz und geriebene Muskatnuß

500 g Zwetschgen

Würfelzucker

6-8 EL Semmelbrösel

50 g Butter

Zimt und Zucker

Die Kartoffeln in der Schale kochen (am besten am Vortag). Die abgekühlten Kartoffeln pellen und durch eine Kartoffelpresse drücken.

Das Mehl und die Eier dazugeben, gut durchmischen. Mit Salz und Muskat würzen.

Alles zusammen zu einem glatten Kartoffelteig arbeiten, eine Rolle daraus formen mit etwa 7 cm Durchmesser und davon reichlich dicke Scheiben abschneiden.

Die Zwetschgen entsteinen und jede mit 1 Stück Würfelzucker füllen.

Auf jede Kartoffelteigscheibe eine gefüllte Zwetschge legen und alles zusammen zu einem runden, glatten Knödel formen.

Die Knödel in kochendem Salzwaser ca. 10-15 Minuten garziehen lassen, nicht kochen. Nicht zuviel Knödel auf einmal in den Kochtopf geben, sonst kleben Sie zusammen.

In der Zwischenzeit die Semmelbrösel in der Butter rösten.

Die Zwetschgenknödel auf einem Sieb abtropfen lassen und in den gerösteten Semmelbröseln wenden. Mit Zimtzucker bestreuen und sofort servieren.

Kartoffelnockerln mit Kräuter

500 g vorwiegend fest-
kochende Kartoffeln

1/2 EL Butter

etwas Salz

100 g Spinat

1/2 EL Butter

etwas Salz

100 g Allgäuer
Emmentaler

2 Eigelb

4 EL feingehackte
Petersilie

1 EL Schnittlauchröllchen

je 1 EL frisch geschnit-
tenes Basilikum und
frischer Majoran

75 g Mehl

Salz

frisch geriebene
Muskatnuß

einige Tropfen Zitronen-
saft

Die Kartoffeln schälen, kochen und warm zerdrücken. Die Butter und das Salz zugeben und bei kleiner Hitze auf dem Herd unter ständigem Rühren trocknen.

Den Spinat waschen, kurz in kochendem Wasser garen, pürieren, mit der Butter und Salz vermischen und ebenfalls bei kleiner Hitze auf dem Herd trocknen.

Den Emmentaler auf der Gemüsereibe frisch raffeln. Kartoffeln, Spinat und Käse in eine Schüssel geben, die Eigelbe und alle Kräuter zufügen und gut miteinander vermischen.

Das Mehl zufügen und mit Salz, Muskat und Zitronensaft abschmecken. Gründlich durchkneten.

Die Nockerln mit zwei Teelöffeln vom Teig abstechen. Da der Teig sehr klebrig ist, die Löffel ab und zu in Wasser tauchen.

Reichlich Salzwasser zum Kochen bringen und die Nockerln in dem leicht siedenden Wasser in 1-2 Minuten garen. Sie sind gar, wenn sie oben schwimmen. Mit einer Schaumkelle herausnehmen und abtropfen lassen.

Puffer, Rösti, Kroketten und Fritten

Gebraten und ausgebacken, so sind sie
beliebt bei alt und jung

Kartoffelpuffer oder Reibekuchen

1 kg mehligkochende Kartoffeln
1 Zwiebel (50 g)
1 Ei
1 TL Salz
2 EL Mehl
etwa 6 EL Öl zum Backen

Die Kartoffeln schälen, waschen, in grobe Stücke schneiden und im Mixer pürieren. Oder auf einem Gemüsehobel oder mit einem einem anderen Gerät fein reiben. Ebenso die geschälte Zwiebel raffeln. Die Kartoffeln mit der Zwiebel, dem Ei, Salz und Mehl gut verrühren.

Am Anfang etwa 2 EL Öl in einer schweren Pfanne bei starker Mittelhitze erhitzen und die Puffer backen: Vom Teig mehrere kleine Portionen hineingeben und flach auseinanderstreichen. Beide Seiten knusprig backen, immer erst wenden, wenn die erste Seite einen schön braunen Rand bekommen hat. Immer wieder etwas Öl in die Pfanne geben, aber nicht mehr so viel wie am Anfang. Die Puffer auf dem Grillgitter über der Fettpfanne des Backofens heiß halten.

Kartoffelpuffer schmecken mit süßen Beilagen wie Apfelmus und Preiselbeerenkompott, Zucker und Sirup. Sie schmecken auch mit pikanten Sachen wie zum Beispiel frischem Salat und Pilzsauce. Dann empfiehlt sich ein kühles Bier als Getränk.

Für eine zeitsparende und mühelose Zubereitung bietet die Industrie ein Reibekuchenpulver an. Es wird nach Packungsanweisung zu einem Teig zubereitet und dann genauso ausgebacken, wie oben beschrieben.

Vakuumverpackte und tiefgefrorene Kartoffelpulver sind das schnellste und ein ideales Angebot für eilige Köchinnen und Köche. Auch hier gilt die Anleitung auf der Verpackung.

Kartoffel-Käse-Plätzli auf Tomatenpüree mit Gemüse

für 2 Portionen

1 kleine Dose Tomaten

1 mittelgroße Zwiebel

1 Knoblauchzehe

1 EL Pflanzenöl (Biskin)

Kräutersalz

frisch gemahlener schwarzer Pfeffer

1 Packung Iglo Grüne Küche Gemüse plus Sesam + Walnüsse

150 g Kartoffeln

50 g Emmentaler

2 Eigelb

2 EL Speisestärke

4 EL Pflanzenöl (Biskin)

100 g Austernpilze

2 EL Crème fraîche

Kräutersalz

frisch gemahlener schwarzer Pfeffer

1 Packung Iglo Grüne Küche Petersilie

Die Tomaten auf einem Sieb abtropfen lassen und pürieren. Die Zwiebel fein würfeln, den Knoblauch zerdrücken. Das Öl in einem kleinen Topf erhitzen und die Zwiebel darin anschwitzen. Den Knoblauch zufügen, gleich mit dem Tomatenpüree auffüllen, salzen, pfeffern und aufkochen.

Das Gemüse nach Packungsanweisung zubereiten.

Währenddessen die Kartoffeln schälen, waschen und reiben. Ebenso den Käse auf einer Gemüsreibe frisch raffeln. Aus den Kartoffeln, Käse, Eigelb und Speisetärke einen Pufferteig bereiten. 2 EL Öl in der Pfanne erhitzen. Teelöffelgroße Portionen Pufferteig in die Pfanne geben, flach und rund formen und von beiden Seiten goldgelb braten. Für die zweite Portion den Vorgang wiederholen.

Die Austernpilze waschen, in mundgerechte Stücke schneiden und 4 Minuten mit dem Gemüse erhitzen. 2 EL Crème fraîche zufügen und mit Salz und Pfeffer abschmecken.

Das Tomatenpüree und das Gemüse-Allerlei auf flache Teller verteilen. Die Kartoffel-Käse-Plätzli auf dem Püree anrichten und mit Petersilie garnieren.

Westfälische Kartoffelpuffer vom Blech

1 kg vorwiegend festkochende Kartoffeln (AckerGold)

1 große Zwiebel

1 Ei

85 g Grieß

85 g Mehl

1-2 EL Majoran

Salz

frisch gemahlener Pfeffer

30 g Schweineschmalz

250 g magerer Räucherspeck

Die Kartoffeln schälen, waschen und grob reiben. Sobald sich in der Schüssel Kartoffelwasser absetzt, 2-3 EL abfüllen (das ist nicht bei allen Kartoffelsorten so). Schneller geht es natürlich, wenn man dazu fertiges Kartoffelpufferpulver aus der Packung nimmt und es nach Packungsanweisung zubereitet.

Die Zwiebel schälen und fein hacken. Zusammen mit dem Ei, Grieß, Mehl und Majoran unter die Kartoffeln mischen, mit Salz und Pfeffer abschmecken.

Ein Backblech mit dem Schweineschmalz einfetten und den Kartoffelteig 1 1/2-2 cm dick auf das Blech streichen. Den Speck in dünne Scheiben schneiden, den Kartoffelteig damit belegen und das Blech auf die mittlere Schiene des auf 190 °C vorgeheizten Ofens schieben. 45-60 Minuten backen.

Nach dem Backen in rechteckige Stücke schneiden und heiß servieren.

Dazu Salat und Apfelkompott reichen.

Schnelle Kartoffelpuffer mit feinem Salat

1 Packung McCain 1.2.3 Kartoffelpuffer (600 g)

300 g junger Blattspinat

1 Bund Radieschen

100 g Champignons

4 Scheiben geräucherte Putenbrust

1 Schalotte

2 EL Rotweinessig

2 EL Öl

1 EL Walnußöl

Salz

frisch gemahlener Pfeffer

Die Kartoffelpuffer nach Packungsanweisung behandeln. Bei 225 °C im vorgeheizten Ofen etwa 18 Minuten backen.

Den Spinat putzen, gründlich waschen und grob zerteilen. Die Radieschen putzen, waschen und vierteln. Die Champignons putzen und in Scheiben schneiden. Die Putenbrust in Streifen schneiden. Die vorbereiteten Zutaten in einer großen Schüssel vermischen.

Für die Vinaigrette die Schalotte abziehen, fein hacken und mit Essig und Öl verrühren. Mit Salz und Pfeffer abschmecken. Die Vinaigrette über den Salat geben und gut vermischen. Den Salat mit den Kartoffelpuffern auf Tellern anrichten und servieren.

Dies ist ein einfaches und dennoch ansprechendes Gericht. Durch den Salat erfährt es - je nach dem saisonalen Angebot - einen jahreszeitlichen Bezug und damit eine beliebige Abwandlung. Es muß auch nicht geräucherte Putenbrust sein. Frisch gebratene Leberstückchen oder sogar feine Filetstreifen sind hervorragende Alternativen.

Rösti

750 g Kartoffeln

Salz

frisch geriebene
Muskatnuß

Öl zum Ausbacken

Die Kartoffeln in der Schale kochen und auskühlen lassen (am besten am Vortag kochen). Pellen und auf der Gemüsereibe grob raffeln. Mit Salz und Muskat würzen.

2-3 EL Öl in einer Pfanne erhitzen. Die Rösti hineingeben und unter mehrmaligem Bewegen in der Pfanne anbraten. Mit dem Pfannenwender zu einem festen Fladen zusammendrücken und die Unterseite goldbraun braten. Dann auf einen Teller oder Pfannendeckel stürzen und die Rösti wieder in die Pfanne gleiten lassen, mit der gebratenen Seite nach oben. Nun die zweite Seite knusprig braun braten. Man kann auch mehrere Rösti in einer Pfanne braten.

Übrigens: Im Handel sind Röstis auch vorgebacken und tiefgekühlt oder schon bratfertig erhältlich.

Röstis lassen sich besonders gut in schweren, gußeisernen oder beschichteten Pfannen herstellen. Möglichst gleichmäßige und nicht zu starke Hitze machen die Rösti ebenmäßig knusprig, braun und zu festen, doch lockeren Fladen.

In der Schweiz werden Röstis besonders lecker zu Kalbsgeschnetzeltem gereicht. Ein frischer Salat dazu und auch Sie können Ihren Gästen ein Feinschmecker-Menü bieten.

»Süßschnäbeln« schmecken Röstis mit Kompott besonders gut. Ebenso passen sie zu herzhaften Fleischgerichten oder zu Spiegeleiern.

Schnelle Rösti-Ecken mit Tomaten und Schinken

4 Fleischtomaten

20 Scheiben Parma-
schinken

2 Schalotten

4 EL Rotweinessig

6 EL Olivenöl

1 EL gehackte Petersilie

Salz

frisch gemahlener Pfeffer

100 g Mascarpone

100 ml Sahne

1 Bund Basilikum

1 Packung McCain Rösti-
Ecken (450 g)

Die Fleischtomaten waschen, den Stielansatz entfernen und die Tomaten in Scheiben schneiden. Abwechselnd eine Scheibe Tomate und eine Scheibe Parmaschinken auf Tellern anrichten.

Die Schalotten abziehen und würfeln. Aus Rotweinessig, Olivenöl, Petersilie, Salz, Pfeffer und den Schalotten eine Vinaigrette rühren und diese über die Tomaten träufeln.

Den Mascarpone mit der Sahne und den Basilikumblättern (einige zur Dekoration zurückbehalten) im Mixer pürieren. Mit Salz und Pfeffer abschmecken.

Die Rösti-Ecken nach Packungsanweisung zubereiten.

Die Mascarponecreme mit den Rösti-Ecken neben dem Tomaten-Schinken-Arrangement anrichten und mit Basilikumblättchen garnieren.

Dies ist eine ansprechende kleine Mahlzeit, die auch verwöhnte Gaumen zufriedenstellen wird. Für Gäste läßt sich der kalte Teil hervorragend vorbereiten und fertig anrichten. Nur die frisch zubereiteten Rösti-Ecken müssen noch auf den Teller, und schon kann serviert werden.

Kroketten

1 Rezept Kartoffelteig (siehe Seite 13) oder 1 Packung Krokettenmischung oder Tiefkühlkroketten
Öl zum Ausbacken

Den Kartoffelteig zubereiten. Oder: Die Krokettenmischung in 1/2 l kaltes Wasser einrühren, 10 Minuten quellen lassen, anschließend gut durchkneten.

Aus dem Kartoffelteig eine etwa 2 cm dicke Rolle formen und diese in 4-5 cm lange Stücke schneiden. In einer tiefen Pfanne oder in der Friteuse bei 180 °C 2-3 Minuten goldbraun backen.

Tiefkühlkroketten können unaufgetaut in der Friteuse oder Pfanne gebacken werden.

Wichtige Hinweise:
• Krokettenmasse nie zu lange vor dem Ausbacken stehen lassen, da diese leicht Feuchtigkeit zieht.

• Kroketten grundsätzlich schwimmend in heißem Fett goldbraun backen.

• Beim Backen muß das Fett eine Temperatur von 180 °C erreichen.

• Werden die Kroketten in der Pfanne gebacken, kann man mit einem Holzlöffel, der ins heiße Fett getaucht wird, sehen, ob das Fett heiß genug ist. Es müssen sich kleine Bläschen am Holz bilden.

Sowohl in den Kartoffelteig als auch unter die Krokettenmasse lassen sich weitere Zutaten mischen, bzw. die geformten Kroketten können ganz einfach paniert oder in anderen Zutaten gerollt werden. Dadurch ergeben sich Geschmacksveränderungen, die ganz bestimmte Gerichte harmonisch ergänzen können.

Pilzkroketten: 2 EL feingehackte Pilze und 1 EL feingehackte Petersilie untermischen.

Tomatenkroketten: 1 EL feingehackten Schinken und 1 EL Tomatenmark untermischen.

Heringskroketten: 2 feingehackte Matjesfilets mit 1 EL feingeschnittenem Schnittlauch untermischen.

Mandelkroketten: Die geformten Kroketten in Ei und Paniermehl wälzen, anschließend in Mandelblättchen rollen und fritieren.

Käsekroketten: 2 EL geriebenen Käse untermischen und die fertig ausgeformten Kroketten in Eiweiß und geriebenem Käse wälzen, fritieren.

Pommes frites

750 g frische Kartoffeln oder 1 Packung Tiefkühl-Pommes frites oder vorgegarte und tiefgefrorene Pommes frites (Backofen-Pommes frites)

Öl zum Ausbacken

Salz

Die Kartoffeln schälen, waschen und in etwa 1/2-1 cm dicke und 7 cm lange Stifte schneiden. Bis zum Ausbacken in ein Küchenhandtuch einschlagen.

Die Kartoffelstifte oder die unaufgetauten Tiefkühl-Pommes frites in heißem Öl in einer tiefen Pfanne oder in der Friteuse bei 180 °C goldbraun backen. Die vorgegarten Pommes frites auf ein mit Küchenpapier ausgelegtes Backblech ausbreiten und im vorgeheizten Ofen bei 250 °C 10-15 Minuten backen, öfters wenden, damit sie rundherum braun werden.

Nach dem Backen mit Salz bestreuen und gut durchschütteln, damit jedes Kartoffelstäbchen seine Würze bekommt.

Wichtig für Tiefkühl-Pommes frites: Sollten sich bei der Lagerung Schneekristalle gebildet haben, entfernen Sie diese, sonst spritzt das Fett, oder die vorgegarten Pommes frites werden weich.

Würz-Varianten

Pommes frites lassen sich sehr gut mit Paprikapulver, Currypulver, geriebener Muskatnuß oder getrockneten Kräutern variieren. Man kann sie auch mit Käse überbacken. Servieren Sie würzige Dip-Saucen dazu, und schon ist ein unterhaltsames Essen bereitet.

Spanische Pommes frites

600 g tiefgefrorene Backofen-Pommes frites

1 kleine Dose mittelfeine Erbsen

1 Prise Salz

1 Prise Zucker

2 EL gehackte Petersilie

100 g durchwachsener Räucherspeck

100 g Fleischwurst

6 Eier

Salz

frisch gemahlener Pfeffer

3 EL Mineralwasser

1 TL Öl

Die Fettpfanne des Backofens mit Küchenpapier belegen und die Pommes frites gleichmäßig darauf verteilen. Bei 200 °C im vorgeheizten Ofen backen, bis die gewünschte Bräunung erreicht ist. Zwischendurch mehrmals wenden. Das dauert ca. 15-20 Minuten.

Inzwischen die Erbsen mit ihrer Flüssigkeit sowie mit Salz und Zucker in einem kleinen Topf erhitzen. Die Petersilie hinzufügen.

Den Speck in feine Streifen, die Fleischwurst in 1/2 cm breite Streifen schneiden. Beides mit den gegarten Pommes vermischen und nochmals 3-5 Minuten in den Ofen schieben.

Die Erbsen abgießen. Die Eier mit Salz, Pfeffer und Mineralwasser verschlagen.

Die Pommes frites-Mischung aus dem Ofen nehmen und in eine flache feuerfeste Form schütten. Salzen und das Öl hinzugeben. Die Erbsen unter die Pommes frites verteilen und die verschlagenen Eier darübergießen. Noch einmal in den Ofen schieben, bis die Eier gestockt sind und die Oberfläche goldbraun ist.

In der Form servieren. Dazu einen Salat der Saison reichen.

Gefüllte Kartoffeln

Eine feine Fülle in der Kartoffel als Hülle

Backkartoffeln, Folienkartoffeln

Dies sind zwei verschiedene Methoden, Kartoffeln im Ofen zu garen, um sie anschließend so zu essen, zu füllen oder mit abgestimmten Beigaben zu servieren.

Vorwiegend festkochende, mittelgroße Kartoffeln sind für die Backkartoffeln wichtig, Folienkartoffeln sollten dagegen mehligkochend sein. Für beide Verfahren sind unsere deutschen Kartoffeln hervorragend geeignet. Erwähnt sei jedoch die Idaho-Kartoffel, die wegen ihrer Größe und Konsistenz als Folienkartoffel einen besonderen Stellenwert errungen hat. Sie ist aber nur selten im üblichen Angebot der Ladengeschäfte zu finden.

Backkartoffeln

Die sauber gewaschenen, gebürsteten und trockenen Kartoffeln der Länge nach durchschneiden. Die Schnittflächen würzen (siehe rechts). Ein Backblech mit Alufolie auslegen und die Kartoffeln mit der Schnittfläche darauflegen. Im vorgeheizten Ofen bei 200 °C in 45-50 Minuten garen. Beliebte Würzmischungen für die Schnittflächen:

- 1 TL Kümmel (ganz, gehackt oder gemahlen) mit 3 EL weicher Butter verrühren, mit Salz und Pfeffer abschmecken.

- 1 EL Rosmarin im Mörser zerstoßen, mit 3 EL Öl vermischen und mit einem Spritzer Tabasco abschmecken. Nach Belieben einen Hauch Knoblauch zugeben.

- 2 Knoblauchzehen durchpressen, in 3 EL Öl einrühren und 1 TL Majoran oder Thymian zugeben.

Folienkartoffeln

Alufolie in so große Stücke schneiden, daß die Kartoffeln locker darin Platz finden. Wichtig: die glänzende Seite ist immer innen. Die Folie mit Öl einpinseln, die Kartoffel locker einwickeln und auf den Grillrost des Ofens legen. Bei 200 °C im vorgeheizten Ofen in etwa 50 Minuten garen. Wie bei einem Kuchen mit der Stricknadel durch die Folie mitten in die Kartoffel stecken und prüfen, ob sie schon weich genug ist.

Die Folie längs oder längs und quer aufschneiden, die Kartoffel oben öffnen und so anrichten. Dazu gibt es:

Kräuterbutter: Frische Kräuter nach Wahl - einzeln oder gemischt - sehr fein schneiden oder pürieren und in zimmerwarme Butter einrühren. Mit Salz, Pfeffer und wenig Zitronensaft abschmecken.

Käsebutter: Frisch geriebenen alten Holland-Gouda mit zimmerwarmer Butter vermischen und nur mit Pfeffer abschmecken.

Quark: Ebenfalls mit frischen Kräutern mischen und abschmecken wie oben. Oder frisch geriebenen Meerrettich und etwas Sahne zugeben, mit Salz, Zucker und Zitronensaft abschmecken. Oder sehr fein geschnittene Zwiebeln, Paprikapulver, Salz und Worcestersauce zugeben.

Knusprige Frühlingskartoffeln

8 mittelgroße neue
Kartoffeln

1 EL Öl

1 TL grobes Salz

200 g Holland-
Maasdamer

1/2 Bund Dill

3 Stengel Petersilie

50 g Sesamkörner

1 Ei

Salz

frisch gemahlener Pfeffer

Die Kartoffeln sorgfältig waschen und mit Küchenpapier abtrocknen. Der Länge nach durchschneiden, die Schnittflächen mit Öl einpinseln und mit grobem Salz bestreuen.

Ein Backblech mit Alufolie oder Backpapier auslegen und die Kartoffeln mit der Schnittfläche darauflegen. Im vorgeheizten Ofen bei 200 °C in ca. 45 Minuten backen.

In der Zwischenzeit den Käse in kleine Würfel schneiden. Den Dill und die Petersilie waschen, trockenschütteln und fein schneiden. Den Käse mit den Kräutern, den Sesamkörnern, dem Ei, Salz und Pfeffer vermischen.

Die Kartoffeln auf dem Blech umdrehen. Die Käsemischung daraufhäufeln und backen, bis der Käse schmilzt.

Dazu schmecken junge Gemüse sehr gut, zum Beispiel Sahnemöhren. Sie werden in Scheiben gedünstet, mit reichlich Sahne vermischt und nach Belieben leicht gebunden.

Käsegefüllte Kartoffeln

4 große Kartoffeln
(je ca. 200 g)

200 g Bresso-Frischkäse
mit französischen
Kräutern

100 g Gorgonzola

100 g gekochter magerer
Schinken

1 Eigelb

1 TL Kümmel

Salz

frisch gemahlener Pfeffer

Dies ist ein Beispiel für die konventionell gekochte und anschließend gefüllte Kartoffel. Natürlich kann statt dessen eine Folienkartoffel zubereitet werden. Vor allem auch Backkartoffeln (die Schnittflächen dann aber nicht würzen, siehe Seite 78) sind geeignet.

Die Kartoffeln waschen und mit der Schale etwa 25 Minuten kochen. Inzwischen die Füllung vorbereiten.

Den Frischkäse und den Gorgonzola in eine Schüssel geben und mit dem Handrührgerät verrühren. Den Schinken in sehr kleine Würfel schneiden und mit dem Eigelb und dem Kümmel unter die Käsemasse rühren. Alles kräftig mit Salz und Pfeffer abschmecken.

Die Kartoffeln etwas abkühlen lassen, anschließend mit der Schale der Länge nach halbieren.

Die Kartoffelhälften mit einem Teelöffel etwas aushöhlen. Das Ausgehöhlte mit einer Gabel zerdrücken und unter die Käsemasse mischen. Die Kartoffelhälften damit füllen. Die Kartoffeln auf ein Backblech legen oder auf den mit Alufolie belegten Grillrost. Im vorgeheizten Ofen bei 220 °C auf der Mittelschiene etwa 15 Minuten überbacken.

Hackfleischgefüllte Kartoffeln

8 mittelgroße festkochende Kartoffeln (AckerGold)

3/4 l Fleischbrühe (Würfel)

300 g Rinderhackfleisch

1 Zwiebel

frisch gemahlener Pfeffer

Salz

frisch geriebene Muskatnuß

Die Kartoffeln schälen, waschen und etwas aushöhlen. Das Ausgehöhlte beiseite stellen, die Kartoffeln in eine feuerfeste Form setzen.

Die Fleischbrühe in die Form gießen und die Kartoffeln bei 200 bis 220 °C in den vorgeheizten Ofen schieben. 15 Minuten garen lassen.

Das Kartoffelinnere fein hacken. Die Zwiebel schälen und in feine Würfel schneiden.

Aus dem Hackfleisch, dem Kartoffelinneren und der Zwiebel einen geschmeidigen Fleischteig zubereiten, mit Salz, Pfeffer und Muskat kräftig abschmecken.

Den Fleischteig in die Kartoffeln füllen, wieder in den Ofen schieben und noch einmal 30 Minuten backen.

Eine Variante für die Füllung: 100 g gewürfelten fetten Schinken mit 2 feingeschnittenen Zwiebeln in der Pfanne auslassen, vom Herd nehmen. 125 g geriebenen Allgäuer Emmentaler, 4 EL Sahne und 1 EL Schnittlauchröllchen unterrühren. Mit Salz und Pfeffer abschmecken und in die 35-40 Minuten gegarten Kartoffeln füllen. In weiteren 5 Minuten bei guter Oberhitze überbacken.

Kartoffelschiffchen

4 Kartoffeln (AckerGold Back & Grill)

125 Allgäuer Emmentaler

200 g Champignons

2 Eigelb

60 g Butter

1/2 TL Majoran

etwas Salz

frisch gemahlener Pfeffer

frisch geriebene Muskatnuß

1 EL gehackte gemischte Kräuter

4 EL Crème fraîche

2 Eiweiß

8 Scheiben Frühstücksspeck

Die Kartoffeln waschen, abtrocknen und mit der Schale in Folie wickeln. Bei 200 °C im vorgeheizten Ofen etwa 50 Minuten backen.

Anschließend halbieren und so aushöhlen, daß nur noch eine dünne Kartoffelschicht in der Schale stehen bleibt. Das Ausgehöhlte beseite stellen.

Den Käse fein würfeln. Die Champignons putzen und fein hacken. Das Ausgehöhlte der Kartoffel zerdrücken.

Die Eigelbe mit der Butter schaumig rühren. Käse, Champignons und die zerdrückten Kartoffeln zusammen mit den Gewürzen, Kräutern und der Crème fraîche zugeben und unter die Eigelb-Butter-Mischung rühren.

Das Eiweiß zu steifem Schnee schlagen und vorsichtig untermischen. Diese Masse zurück in die Kartoffelhälften füllen.

Die Speckscheiben zusammenrollen und auf jeder Kartoffelhälfte ein Röllchen mit einem Holzstäbchen feststecken.

Die Kartoffelschiffchen bei 200 °C im vorgeheizten Ofen in ca. 20 Minuten fertigbacken.

Gemüsegefüllte Kartoffeln mit Mozzarella

8 Terra Nova Kartoffeln, à ca. 150 g

1 große Möhre (200 g)

1 Lauchstange (200 g)

1 EL Sonnenblumenöl

Butter oder Öl für die Form

50 g Parmaschinken

125 g Mozzarella

Kräutersalz

frisch gemahlener Pfeffer

Die Kartoffeln gründlich waschen, nicht schälen. Mit Wasser bedeckt 12 Minuten kochen, begießen, abschrecken und abkühlen lassen.

In der Zwischenzeit das Gemüse putzen und waschen. Die Möhre grob raspeln. Vom Lauch das dunkle Grün entfernen und die Stange in sehr feine Ringe schneiden.

Das Öl in einer Pfanne erhitzen und die Möhre und den Lauch darin andünsten. 2 EL Wasser dazugeben und 4 Minuten weiterdünsten. Mit Kräutersalz und Pfeffer würzen.

Von den Kartoffeln der Länge nach einen Deckel abschneiden (1,5 cm dick). Den unteren Teil mit einem scharfen kleinen Löffel oder mit einem Ausstecher aushöhlen. Die Kartoffeln in eine gefettete, feuerfeste Form setzen.

Das Gemüse in die ausgehöhlten Kartoffeln füllen. Den Schinken und den Mozzarella in Streifen schneiden und abwechselnd über die Kartoffeln legen.

Bei 225 °C im vorgeheizten Ofen 15 Minuten überbacken.

Mit Tomatensalat oder einem Mischsalat der Saison servieren.

Fischgefüllte Kartoffeln

6 gleich große, leicht mehligkochende Kartoffeln (600 g)

Salz

300 g Fischfilet (z. B. Kabljau)

150 g Bratwurstbrät

1 großes Ei

2 EL gehackte gemischte Kräuter (z. B. Petersilie, Schnittlauch, Dill, Thymian, Kerbel)

10 g Margarine

1/8 l Fleischbrühe (Würfel)

Die Kartoffeln schälen, der Länge nach einen Deckel abschneiden und mit einem Grapefruitmesser das Innere bis auf einen Rand von gut 1 cm aushöhlen.

Die Kartoffelreste in einen großen flachen Topf auf den Boden legen und die ausgehöhlten Kartoffeln daraufsetzen, so haben sie einen sicheren »Stand«. Mit wenig Salz bestreuen.

So viel Wasser zugießen, daß die Kartoffeln knapp bedeckt sind. Zum Kochen bringen und 8-10 Minuten kochen lassen. Danach beiseite stellen.

Das Fischfilet unter fließendem kalten Wasser waschen, mit Küchenpapier trockentupfen und zerpflücken. Das Bratwurstbrät mit dem Ei gut vermengen. Den zerpflückten Fisch und die Kräuter einarbeiten.

Eine entsprechend große Ofenform mit der Margarine ausstreichen. Die Kartoffeln aus dem Topf nehmen und mit der Fischmischung füllen (die verbliebenen Kartoffelreste im Topf können für eine Suppe verarbeitet werden).

Die Kartoffeln in die Form setzen, die heiße Brühe zugießen und die Form mit Alufolie bedecken.

Im vorgeheizten Ofen bei 210 °C auf der mittleren Einschubleiste 20-25 Minuten garen. In den letzten 10 Minuten die Folie abnehmen.

Mit einem frischen Salat der Saison servieren.

Kartoffelschmankerl

Schmackhafte Zaubereien mit der
wandlungsfähigen Kartoffel

Kartoffel-Fisch-Pfanne mit Spiegelei

500 g Kartoffeln

200 g Pikantje van Gouda

750 g Kabeljaufilet

Zitronensaft

Salz

4 EL Butter

1 große oder 2 kleinere Zwiebeln

4 Eier

Petersilie und Schnittlauch

Die Kartoffeln waschen und als Pellkartoffeln kochen. Abgießen, einzeln legen und auskühlen lassen.

Den Käse auf der Gemüsereibe frisch raffeln und beiseite stellen.

Den Fisch waschen und mit Küchenpapier abtrocknen. In große Würfel schneiden, mit Zitronensaft beträufeln und salzen.

Die Hälfte der Butter in einer Pfanne erhitzen und die Fischwürfel rundum goldbraun braten, sie sollen noch nicht ganz gar sein. Herausnehmen und warm stellen.

Die Zwiebeln schälen und fein hacken. Die Kartoffeln pellen und in Scheiben schneiden.

Die restliche Butter in der Fischpfanne erhitzen und die Zwiebel darin glasig anschwitzen. Die Kartoffelschei-

ben zugeben, mit leichter Kruste und Farbe anbraten, wenden und ebenfalls knusprig goldbraun braten. Zwischendurch salzen.

Die Fischwürfel auf den Kartoffeln verteilen.

Die Eier wie Spiegeleier über dem Fisch aufschlagen und alles mit dem Käse bestreuen. Den Pfannendeckel auflegen und das Ei bei milder Hitze stocken lassen.

Auf vorgewärmten Tellern anrichten. Mit den frischen, feingeschnittenen Kräutern bestreuen und servieren.

Kartoffelpfanne zum Frühstück

400 g am Vortag gekochte Pellkartoffeln

1 rote Paprikaschote

1 Zwiebel

100 g Frühstücksspeck

100 g Pikantje van Gouda

4 Eier

1/8 l Sahne oder Milch

frisch gemahlener Pfeffer

frisch geriebene Muskatnuß

Salz

Cayennepfeffer

Die Kartoffeln pellen und in Würfel schneiden. Die Paprikaschote waschen, durchschneiden, die Samen und Scheidewände entfernen, das Fruchtfleisch in feine Streifen schneiden. Die Zwiebel schälen und sehr fein würfeln. Den Speck in kleine Würfel schneiden. Den Käse auf einer Gemüsereibe frisch raffeln.

In einer ausreichend großen Pfanne die Speckwürfel schön goldbraun ausbraten. Die Zwiebeln in dem Speckfett kurz anschwitzten, die Paprikastreifen zufügen und zusammen gut 5 Minuten dünsten.

Die Kartoffelwürfel in die Pfanne geben und gleichmäßig verteilen. Zunächst ohne Bewegung möglichst kroß anbraten, dann wenden und braten, sie sollen rundum eine schöne Farbe bekommen.

Die Eier mit der Sahne oder Milch verschlagen, den Käse unterrühren und mit Pfeffer und Muskat würzen. Vorsichtig salzen und nach persönlichem Geschmack mit Cayennepfeffer schärfen.

Die Eiersahne schön gleichmäßig über die Kartoffeln gießen, den Pfannendeckel auflegen und bei Mittelhitze stocken lassen. Sofort aus der Pfanne nehmen, auf vorgewärmten Tellern oder einer Platte anrichten und servieren.

Munstertaler Kartoffelpfanne

250 g durchwachsener Speck

1 kg Kartoffeln

500 g Zwiebeln

etwa 1 TL Kümmel

frisch gemahlener schwarzer Pfeffer

6 EL Elsässer Weißwein

250 g Munster Géromè-Käse

1/2 Bund Schnittlauch

1/2 Bund glatte Petersilie

Den Speck fein würfeln und bei milder Hitze in einer großen, schweren Pfanne auslassen.

In der Zwischenzeit die Kartoffeln schälen, waschen und in etwa 3 mm dicke Scheiben schneiden. Das geht am einfachsten auf dem Gurkenhobel. Die Zwiebeln schälen und grob hacken.

Die Grieben und das Speckfett bis auf etwa 2 TL aus der Pfanne in eine Schale abgießen. Nun lagenweise Kartoffeln und Zwiebeln in die Pfanne einschichten, die Kartoffeln jeweils mit Kümmel, die Zwiebeln mit Pfeffer bestreuen. Jede Lage mit etwas Speckfett beträufeln und einige Grieben darübergeben. Den Abschluß sollten Kartoffeln bilden.

Darüber den Wein träufeln. Die Pfanne mit einem gut sitzenden Deckel schließen und die Kartoffeln bei mittlerer Hitze in etwa 45 Minuten weich dünsten. Dabei die Pfanne hin und wieder rütteln oder den Pfanneninhalt einige Male umwenden.

Den Käse in etwa 3 mm dicke Scheiben schneiden und dicht an dicht auf die Kartoffeln legen. In der geschlossenen Pfanne in etwa 3 Minuten schmelzen lassen.

Die Kräuter waschen und trockenschleudern. Den Schnittlauch in Röllchen schneiden, die Petersilie grob hacken. Die Kartoffeln damit bestreuen und rasch servieren.

Dazu nur einen grünen Salat in einer leichten Vinaigrette servieren.

Shrimps-Kartoffeln in Currysahne

1 kg festkochende Kartoffeln

100 g Shrimps

Butter für die Form

1/4 l Knorr Klare Delikatess Brühe

300 g Crème fraîche

1 TL Curry

Kurkuma

frisch gemahlener weißer Pfeffer

Die Kartoffeln gründlich waschen und mit der Schale etwa 10 Minuten vorkochen. Mit kaltem Wasser abschrecken und pellen.

In Abständen von etwa 1 cm keilförmige kleine Stücke aus der Oberfläche der Kartoffeln herausschneiden und Shrimps in die Ausschnitte legen. Eine feuerfeste Form mit Butter ausstreichen und die Shrimps-Kartoffeln hineingeben.

Für die Currysahne die Brühe mit Crème fraîche verrühren. Mit Curry, Kurkuma und Pfeffer abschmecken. Die Sauce über die Shrimps-Kartoffeln verteilen.

Bei 200 °C im vorgeheizten Ofen garen. Die Kartoffeln ab und zu mit der Sauce übergießen.

Dies ist ein ausgesprochen feines, attraktives Kartoffelgericht. Es ist ein gutes Beispiel dafür, welches Schattendasein als meist auschließlich gekochte Beilage die Kartoffel immer noch bei uns führt. Probieren Sie dieses Rezept einmal aus, und servieren Sie es mit Blattspinat. Das ist eine gute Kombination, die sicherlich nicht ohne Echo bleibt.

Gebackene Käsekartoffeln I

8 große, vorwiegend festkochende Kartoffeln

Butter für Folie oder Blech

150 g alter Holland-Gouda

frisch gemahlener Pfeffer

Kümmel

Paprikapulver

Möglichst gleich große Kartoffeln aussuchen. Außerdem sollen sie gleichmäßig in der Form sein und beim späteren Halbieren schöne Hälften ergeben.

Die Kartoffeln gründlich waschen und bürsten und als Pellkartoffeln knapp gar kochen. Abgießen, ein wenig abkühlen lassen, anschließend die Kartoffeln der Länge nach halbieren.

Ein Backblech oder eine Folie für das Backblech dick mit Butter bestreichen. Die Kartoffelhälften mit der Schnittfläche nach oben dicht nebeneinander daraufsetzen.

Den Käse auf der Gemüsereibe frisch raffeln und die Schnittflächen der Kartoffeln damit bestreuen. Da der Käse beim Schmelzen verläuft, müssen die Ränder nicht so viel Käse abbekommen.

Das Blech bei 250 °C in den vorgeheizten Ofen schieben und die Kartoffeln in etwa 10 Minuten überbacken.

Ganz nach Belieben würzen. Wer den Kümmel nicht im ganzen mag, kann ihn im Mörser zerstoßen und auch schon mit dem Käse aufstreuen.

Wichtig: Die Kartoffelhälften sollten dicht genug auf dem Blech liegen, damit möglichst nichts beim Aufstreuen des Käses danebenfällt. Er würde am Blech festbacken und einbrennen.

Käsekartoffeln II

8 große Kartoffeln
Salz
1 EL Öl
250 g Pikantje van Gouda
200 g dicke saure Sahne
1 Ei
frisch gemahlener Pfeffer
2 Zweige Basilikum
Kümmel
Paprikapulver edelsüß

Die Kartoffeln gut waschen und bürsten und als Pellkartoffeln kochen. Abgießen.

Eine Pfanne einölen.

Den Gouda auf einer Gemüsereibe frisch raffeln. Mit der Sahne und dem Ei zu einer homogenen Creme verrühren. Mit Pfeffer würzen.

Die heißen Kartoffeln mit der Schale der Länge nach halbieren und in die Pfanne legen. Das Basilikum waschen, trockenschlagen, fein schneiden und die Kartoffeln damit bestreuen. Die Käsecreme darauf verteilen. Mit Kümmel und Paprika würzen.

Im vorgeheizten Ofen bei 230 °C oder unter dem Grill überbacken, bis der Käse zerläuft und goldbraun ist.

Am schönsten ist es, diese Käsekartoffeln in der Pfanne zu Tisch zu bringen. So bleiben sie nicht nur schön heiß, sondern die auf dem Pfannenboden eingebackene Käsecreme findet bestimmt begeisterte Abnehmer. Ein frischer Salat der Saison dazu, und schon ist eine kleine Mahlzeit fertig.

Kartoffelspieß mit Zwiebel-Sahne

für 8 Spieße

1 kg Terra Nova
Kartoffeln

200 g durchwachsener
Speck

Olivenöl

1-2 Rosmarinzweige

500 g Terra Nova
Zwiebeln

200 g Sahne

grobgemahlener
schwarzer Pfeffer

Salz

1 EL Weißweinessig

Passende Holzspieße in Wasser legen.

Die Kartoffeln waschen und bürsten, 10 Minuten in der Schale kochen.

Inzwischen den Speck in ca. 5 cm große und 1-1,5 cm dicke Scheiben schneiden.

Die Kartoffeln abgießen, auskühlen lassen. Je nach Größe im ganzen oder halbiert abwechselnd mit dem Speck auf die Spieße stecken. Mit Olivenöl bepinseln und mit Rosmarinnadeln bestreuen.

Auf dem Grill oder im Backofengrill unter Wenden ca. 10 Minuten grillen, eventuell noch einmal mit Öl bepinseln.

Für die Zwiebel-Sahne die Zwiebeln schälen, in sehr dünne Ringe schneiden und blanchieren. Die Sahne mit dem Pfeffer, Salz und dem Essig verschlagen und mit den Zwiebelringen vermischen.
Neben den Kartoffelspießen auf Tellern anrichten und sofort servieren.

Kartoffel-Speck-Spieß

1 kg mittelgroße Kartoffeln (AckerGold)

Salz

frisch gemahlener schwarzer Pfeffer

750 g große Zwiebeln

Kümmel

250 g magerer Räucherspeck

Paprikapulver edelsüß

1-2 EL Butter

Die Kartoffeln sollen einen ausgeprägt guten Geschmack haben. Eine vorwiegend festkochende Sorte ist wichtig, damit die gegarten Scheiben später nicht vom Spieß »bröseln«.

Die Kartoffeln gründlich waschen und bürsten. Ungeschält in fingerdicke Scheiben schneiden und auf Küchenpapier abtrocknen lassen. Auf der Arbeitsfläche nebeneinanderlegen und mit wenig Salz und Pfeffer bestreuen und einreiben.

Die Zwiebeln schälen, in 2 mm dicke Scheiben schneiden und ebenfalls nebeneinander auslegen. Mit im Mörser zerstoßenem Kümmel einreiben.

Den Räucherspeck in etwa ebenso dicke Scheiben schneiden und mit reichlich Paprika einreiben. Alle so nur von einer Seite gewürzten Zutaten 10 Minuten durchziehen lassen.

Abwechselnd auf Spieße stecken und dabei am Anfang und Ende Endstücke der Kartoffeln aufspießen.

Für jeden Spieß ein passendes Stück Alufolie von der Rolle reißen. In der Mitte mit Butter einpinseln. Die Spieße darauflegen, wie Würste einwickeln und an den Enden zudrehen. Nicht zu fest eindrehen, die Folie bläht sich beim Backen ein wenig auf.

Auf den Bratrost legen und bei 220 °C in den vorgeheizten Ofen geben. 30 Minuten backen, dann in den Alupäckchen servieren.

Gefüllte Kartoffelrolle

1 Packung Krokettenpulver oder 1 Rezept Kartoffelteig für Kroketten (siehe Seite 13)

2 große Zwiebeln

400 g gemischtes Hackfleisch (Rind und Schwein)

1 Ei

1 EL frisch geriebene Semmelbrösel

Salz

frisch gemahlener Pfeffer

Paprikapulver edelsüß

2 Gewürzgurken

Mehl zum Ausrollen

1-2 EL Butter

2-3 EL Öl

Das Krokettenpulver nach Packungsaufschrift in Wasser einrühren und quellen lassen. Oder frischen Kartoffelteig herstellen, wie auf Seite 13 beschrieben.

Die Zwiebeln schälen und in feine Würfel schneiden. Zusammen mit dem Hackfleisch in einer beschichteten Pfanne anbraten, bis die Zwiebeln glasig sind. In eine Schüssel füllen und abkühlen lassen.

Das Ei, die von einer altbackenen Semmel frisch abgeriebenen Semmelbrösel, Salz, Pfeffer und Paprika dazugeben.

Die Gewürzgurken ganz fein hacken und ebenfalls dazugeben. Nun alles zu einem geschmeidigen Fleischteig vermischen.

Den Kartoffelteig durchkneten und auf ein mit Mehl bepudertes Stück Alufolie gut 1 cm dick ausrollen. Es soll ein längliches Rechteck entstehen. Dieses mit dem Fleischteig bestreichen und zu einer Walze zusammenrollen. Daraus schräge Scheiben von knapp 2 cm Dicke schneiden.

Butter und Öl in einer tiefen Pfanne erhitzen und die Rouladenscheiben von beiden Seiten knusprig braten. Auf Küchenpapier legen und das Fett ein wenig absaugen lassen.

Sofort anrichten und mit einem grünen Salat servieren.

Sahnekartoffeln

1 kg gleichmäßig kleine Kartoffeln (AckerGold)

60 g Butter

2 Knoblauchzehen

1 große Zwiebel

Salz

frisch gemahlener Pfeffer

200 g Sahne

2 EL gehackte Petersilie

Dies ist ein ganz schlichtes und einfach herzustellendes Rezept. Es zeigt aber wieder einmal, wie vielfältig sich die Kartoffel auch als Beilage zubereiten läßt und wie gedankenlos wir sie doch immer »nur« als unbedarfte Salzkartoffel servieren. Sahnekartoffeln sind ein wirkliches Schmankerl, das eine neue Zuneigung zu Kartoffeln vermitteln kann. Versuchen Sie's mal!

Die Kartoffeln gründlich waschen und in wenig Wasser in der Schale etwa 20 Minuten kochen. Abgießen und pellen.

Die Butter in einer Kasserolle schmelzen. Währenddessen den Knoblauch fein zerdrücken. Die Zwiebel schälen und in sehr feine Würfel schneiden. In der Butter glasig anschwitzen.

Salz und Pfeffer dazugeben und die gepellten Kartoffeln darin anbraten. Die Sahne dazugießen, durchkochen lassen und alles mit Petersilie bestreuen.

Sahnekartoffeln schmecken gut zu kurzgebratenem Fleisch, Fisch und gemischtem Salat.

Béchamelkartoffeln

1 kg vorwiegend festkochende Kartoffeln (AckerGold)

Kümmel

Salz

75 g durchwachsener Räucherspeck oder Schinken

1 große Zwiebel

1 EL Butter

1 EL Mehl

1/4 l Kalbsbrühe oder Milch

1/4 l Sahne

frisch gemahlener Pfeffer

frisch geriebene Muskatnuß

Petersilie

Dieser Klassiker der deutschen Küche hat seinen Namen von der Sauce, der Béchamel, einer weißen Sauce, die auf der Basis einer Mehlschwitze mit Milch oder Brühe zubereitet wird. Die Béchamel ist eine Grundsauce, die die verschiedensten Variationen zuläßt und damit eine Anpassung an eine große Anzahl unterschiedlicher Zutaten ermöglicht. So ist sie auch ideal, um »trockene« Kartoffeln saucig-saftig auf den Tisch zu bringen.

Die Kartoffeln gründlich waschen und mit der Schale in mit Kümmel und Salz gewürztem Wasser knapp gar kochen. Abgießen, pellen und warm stellen.

In der Zwischenzeit den Speck oder Schinken in Streifen schneiden. Die Zwiebel schälen und fein würfeln. Die Butter in einem ausreichend großen Topf erhitzen und die Zwiebel darin ohne Farbe andünsten. Mit dem Mehl überstäuben und rühren, bis das Mehl sich leicht färbt.

Unter starkem Rühren mit dem Schneebesen mit der Kalbsbrühe oder Milch ablöschen. Sobald die Mischung glatt ist, die Sahne einrühren, mit Salz, Pfeffer und Muskat pikant abschmecken.

Die Kartoffeln ganz oder in Scheiben geschnitten in die Sauce geben, durchziehen lassen und, mit Petersilie bestreut, servieren.

Dazu gibt es reichlich frischen Salat, Siedewürstchen, gebratenes Fleisch oder Blutwurst. Ein preiswertes, schnelles und wohlschmekkendes Essen.

Kartoffel-Rindfleisch-Topf

500 g festkochende Kartoffeln

500 g Zwiebeln

250 g Möhren

150 g Sellerieknolle

500 g Rindfleisch

Salz

frisch gemahlener Pfeffer

2 Lorbeerblätter

1/4 l Wasser

125 g saure Sahne

Die Kartoffeln schälen, waschen und so teilen, daß sich möglichst gleich große, etwa 1/2 cm dicke Scheiben schneiden lassen. Die Zwieblen schälen und in dicke Scheiben schneiden. Die Möhren putzen und ebenfalls in dickere Scheiben schneiden. Den Sellerie schälen und recht fein würfeln.

Das Rindfleisch nach Belieben ganz lassen oder in Streifen oder Würfel schneiden.

Die Kartoffeln mit dem Gemüse und dem Fleisch in einen Topf oder in eine feuerfeste Schale schichten und lagenweise mit Salz und Pfeffer würzen. Die Lorbeerblätter dazwischenlegen.

Das Wasser dazugießen, den Topf oder die Form gut verschließen und auf der Kochstelle oder im Ofen etwa 1 Stunde leicht kochen lassen.

Wer das Fleisch im Ganzen mitgegart hat, schneidet es nun in Scheiben. Auf Tellern anrichten, mit einem Klecks saurer Sahne krönen und sofort servieren.

Die Sahne kann auch mit dem Wasser zum Garen vermischt werden, die Sauce ist dann cremiger und reicher im Geschmack.

Kartoffel-Hähnchen-Topf aus der Mikrowelle

für 1 Portion

270 g festkochende Kartoffeln (etwa 3 Stück)

75 ml Fleischbrühe (Würfel)

Rosmarin oder Thymian

150 g Hähnchenbrust

1/2 rote Paprikaschote

100 g Brokkoli

Salz

frisch gemahlener Pfeffer

1 EL feingehackte Petersilie

Die Kartoffeln schälen, waschen und in Würfel von 1 cm Durchmesser scheiden. Mit der Brühe und einem kleinen Zweig Rosmarin oder Thymian in das Geschirr geben und zugedeckt in der Mikrowelle 5 Minuten bei 600 Watt garen. Zwischendurch umrühren!

Während die Kartoffeln garen, die Hähnchenbrust in Würfel schneiden. Nach Ablauf der ersten Garzeit unter die Kartoffelwürfel mischen und alles weitere 3 Minuten bei 600 Watt in der Mikrowelle garen.

Die Paprikaschote waschen, Samen und Scheidewände entfernen und das Fruchtfleisch fein würfeln. Den Brokkoli waschen, putzen und in kleine Röschen teilen. Das Gemüse unter die Kartoffel-Hühnerfleisch-Mischung heben, weitere 4 Minuten bei 400 Watt garen.

Mit Salz und Pfeffer abschmecken und, mit Petersilie bestreut, servieren.

Wer mag, kann das Ganze mit 1 EL Sahne abrunden.

Kartoffel-Fisch-Topf

4 mittelgroße Möhren
(250 g)

6 Kartoffeln (500 g)

Salz

400 g Fischfilet
(z. B. Kabeljau)

1/4 l Fleischbrühe
(Würfel)

40 g Margarine

30 g Mehl

1/8 l Fleischbrühe
(Würfel)

1/8 l Sahne

frisch gemahlener weißer
Pfeffer

1 Spritzer Zitronensaft

1 Eigelb

1 Bund gehackte glatte
Petersilie

Die Möhren und Kartoffeln schälen, waschen und in Scheiben schneiden. In wenig Salzwasser weich kochen.

Das Fischfilet unter fließend kaltem Wasser waschen und in 2-3 cm große Würfel schneiden. Die Fischwürfel in der Brühe 2-3 Minuten gerade am Siedepunkt garen lassen.

Für die Sauce die Margarine schmelzen, das Mehl einrühren und eine helle Einbrenne bereiten. Die weitere Brühe und die Sahne zugießen und 2-3 Minuten kochen lassen.

Die Kochbrühen von den Kartoffeln und dem Fisch mit zur Sauce geben und mit einem Schneebesen kräftig durchschlagen. Die Sauce mit Salz, Pfeffer und Zitronensaft kräftig abschmecken.

Die Sauce von der Kochstelle nehmen und einen Eßlöffel davon mit dem Eigelb verrühren, wieder in die Sauce geben und auf diese Weise legieren.

Die Fischwürfel zum Gemüse geben, die Sauce darübergießen, nochmals heiß werden lassen, aber nicht mehr kochen. Das Gericht abschmecken und die Petersilie darüberstreuen.

Kartoffelgerichte aus dem Ofen

Auflauf, Gratin oder Pudding, so schmecken
Kartoffeln hervorragend

Klassisches Kartoffelgratin

Aus rohen Kartoffeln

1 kg Kartoffeln
200 g alter Holland-Gouda
Butter für die Form
Salz
frisch gemahlener Pfeffer
1/2 l Sahne

Aus gekochten Kartoffeln

1 kg mehligkochende Kartoffeln
2 Zwiebeln
Butter für die Form
knapp 1/2 l Sahne
1 Ei
Salz
frisch gemahlener Pfeffer
frisch geriebene Muskatnuß
150 g mittelalter Holland-Gouda
50 g Butterflöckchen

Für das rohe Gratin die Kartoffeln schälen und waschen, auf dem Gemüsehobel in hauchdünne Scheiben schneiden. Den Käse auf dem Gemüsehobel frisch raffeln. Eine feuerfeste Form dick ausbuttern.

Die Kartoffelscheiben schichtweise einfüllen, die Scheiben sollen am Formrand angelehnt und weiterhin hochstehend eingeschichtet werden. Jede Schicht salzen, pfeffern und mit Käse bestreuen.

So viel Sahne hineingießen, daß die Kartoffeln nicht ganz bedeckt sind. Bei 200 °C im vorgeheizten Ofen 60-70 Minuten goldbraun backen.

Für das Gratin aus gekochten Kartoffeln die Kartoffeln in der Schale kochen, pellen, abkühlen lassen und in Scheiben schneiden. Die Zwiebeln schälen und fein würfeln. Eine feuerfeste Form dick ausbuttern. Kartoffeln und Zwiebeln mischen und in die Form füllen. Sahne und Ei verquirlen, mit Salz, Pfeffer und Muskat kräftig würzen und über die Kartoffeln gießen. Den Käse frisch reiben und das Gratin damit bestreuen. Mit Butterflöckchen belegen.

Im vorgeheizten Ofen bei 220 °C in 40 Minuten goldbraun backen.

Kartoffel-Hackfleisch-Gratin

500 g Kartoffeln

1 EL Butter

1 Knoblauchzehe

2 Zwiebeln

300 g gemischtes Hack-
fleisch

1 Päckchen Iglo Grüne
Küche Schnittlauch

1 Päckchen Iglo Grüne
Küche Petersilie

2 EL Semmelbrösel

Salz

frisch gemahlener Pfeffer

1/2 l Sahne

evtl. Parmesan

Die Kartoffeln schälen, waschen und auf dem Gemüsehobel in dünne Scheiben schneiden. Eine große, flache Auflaufform dick ausbuttern. Die Knoblauchzehe schälen, fein hacken und darauf ausstreuen. Die Hälfte der Kartoffelscheiben in die Form legen. Die Zwiebelnschälen, in Scheiben schneiden und auf die Kartoffeln schichten.

Das Hackfleisch mit dem Schnittlauch, der Petersilie und den Semmelbröseln vermischen, mit Salz und Pfeffer abschmecken. Die Mischung ebenfalls in die Auflaufform geben, außen herum mit den restlichen Kartoffelscheiben abdecken.

Die Sahne über die Zutaten gießen. Mit Salz und Pfeffer würzen und bei 225 °C im vorgeheizten Ofen ca. 20 Minuten backen. Nach Belieben mit Parmesan bestreuen.

Schneller Kartoffelauflauf mit Champignons

500 g frische Champignons

1 Zwiebel

1 EL Butter

Salz

frisch gemahlener Pfeffer

1 Bund glatte Petersilie

100 g mittelalter Holland-Gouda

1 Paket Kartoffelpüree

Butter für die Form

Die Champignons putzen, nur bei Bedarf waschen (besser ist es, sie mit Küchenpapier trocken abzuwischen) und blättrig schneiden, und zwar so, daß die Pilzform erkennbar bleibt. Die Zwiebel schälen und fein schneiden.

In einer mittelgroßen Pfanne die Butter erhitzen und die Zwiebeln bei Mittelhitze langsam glasig schwitzen. Die Champignons zufügen und so lange mitschwitzen, bis alle Flüssigkeit verdampft ist. Mit Salz und Pfeffer kräftig würzen.

Die Petersilie waschen, trockenschleudern und unter die Pilze msichen. Die Pfanne beiseite stellen.

Den Käse auf der Gemüsereibe frisch raffeln. Das Kartoffelpüree nach Packungsanweisung zubereiten, aber etwas weniger Flüssigkeit da-

zugeben, es soll ein etwas festeres Püree entstehen.

Eine Auflaufform dick ausbuttern. Schichtweise Kartoffelpüree und Champignons einfüllen, mit Kartoffelpüree abschließen. Die Oberfläche mit dem Käse bestreuen.

Bei 250 °C im vorgeheizten Ofen 12-15 Minuten backen. In der Form servieren.

Natürlich können Sie für dieses Rezept auch ein frisches Kartoffelpüree zubereiten. Das Rezept dafür finden Sie auf Seite 12.

Kartoffelgratin mit Austernpilzen und Spinat

750 g Terra Nova Kartoffeln

300 g Austernpilze

200 g Blattspinat

150 g Blauschimmelkäse

150 ml Milch

100 ml Sahne

1 Knoblauchzehe

1 Bund Petersilie

80 g Sonnenblumenkerne

Salz

frisch gemahlener Pfeffer

Butter für die Form

Die Kartoffeln schälen, waschen und roh auf dem Gemüsehobel in dünne Scheiben schneiden.

Die Austernpilze putzen, dabei die Stiele entfernen. Größere Pilze halbieren, kleine ganz lassen.

Den Blattspinat waschen und blanchieren. In Eiswasser abschrecken und gut abtropfen lassen, evtl. leicht ausdrücken.

Den Käse zerbröckeln und mit einer Gabel mit der Milch und der Sahne vermischen.

Die Knoblauchzehe durchpressen. Die Petersilie grob hacken. Beides vermischen, die Sonnenblumenkerne hinzufügen und zusammen unter die Käsemischung geben. Mit Salz und Pfeffer würzen. Eine feuerfeste Form dick ausbuttern. Die Kartoffeln, die Austernpilze und den Spinat abwechselnd einschichten. Die Käsemasse darüber verteilen.

Bei 200 °C im vorgeheizten Ofen in 30 Minuten goldbraun überbacken.

Janssons Versuchung

2 große Zwiebeln

1 EL Sanella

1 kg mittelgroße Kartoffeln

Sanella für die Form

100 g Anchovisfilets aus der Dose

frisch gemahlener schwarzer Pfeffer

200 g Sahne

3 EL Semmelbrösel

1 EL Sanellaflöckchen

»Janssons Versuchung« ist eine schwedisches Nationalgericht - beliebt bei groß und klein. Es darf auf keiner Feier fehlen. Machen auch Sie diesen Auflauf aus Kartoffeln, Zwiebeln und Anchovis zu einer »Versuchung« für Ihre Familie oder Gäste. Einfach und schnell zubereitet, können Sie den Auflauf nach einer knappen Stunde Backzeit servieren.

Die Zwiebeln schälen und in dünne Scheiben schneiden. Die Kartoffeln schälen, waschen und auf dem Gemüsehobel in dünne Scheiben schneiden.

In einer mittelgroßen Pfanne die Sanella erhitzen und die Zwiebeln bei Mittelhitze schön langsam glasig schwitzen.

Eine feuerfeste Form dick ausfetten. Die Hälfte der Kartoffelscheiben hineingeben. Darüber die Zwiebeln und Anchovisfilets schichten. Mit den restlichen Kartoffelscheiben abdecken und leicht pfeffern.

Die Sahne darübergießen und ganz mit Semmelbröseln einstreuen. Es lohnt sich, hierfür die Bröseln aus altbackenen Semmeln frisch zu reiben.

Die restliche Sanella in Flöckchen darauf verteilen.

Den Auflauf im vorgeheizten Ofen bei 200 °C ca. 50 Minuten backen.

Gratinierter »Kartoffelsalat«

750 g festkochende Kartoffeln

Salz

1/2 Bund Frühlingszwiebeln

1 rote Paprikaschote

100 g geräuchertes Forellenfilet

200 g Sahne

2 TL Knorr klare Delikatess-Brühe, Instant

2 EL Weißweinessig

1-2 EL Mondamin Klassische Mehlschwitze, hell

1/2 Bund Petersilie

Thymian

frisch gemahlener Pfeffer

Salz

1 EL Mazola Keimöl

30 g geriebener Emmentaler

2 EL Sonnenblumenkerne

Die Kartoffeln waschen und mit der Schale in Salzwasser kochen. Mit kaltem Wasser abschrecken, pellen und in Scheiben schneiden.

Die Frühlingszwiebeln putzen, waschen und in Ringe schneiden. Die Paprikaschote waschen, Samen und Scheidewände entfernen und das Fruchtfleisch in Streifen schneiden. Das Forellenfilet in Stücke schneiden.

Die Sahne mit der Instant-Brühe, dem Essig und der Mehlschwitze verrühren. Die Kartoffelscheiben, Frühlingszwiebeln, Paprikastreifen und die Forellenstücke dazugeben und vorsichtig mischen. Mit Petersilie, Thymian, Pfeffer und Salz abschmecken.

Eine große, flache Auflaufform mit dem Öl auspinseln. Die Kartoffelmischung einfüllen und mit dem Käse und den Sonnenblumenkernen bestreuen. Bei 200 °C im vorgeheizten Ofen 30 Minuten backen.

Kartoffel-Lasagne

300 g vorwiegend fest-
kochende Kartoffeln

Salz

1 Packung Iglo Grüne
Küche Farmers Gemüse
(300 g)

Margarine für die Auf-
laufform (z. B. Sanella)

3 Eier

3 EL Crème fraîche

frisch gemahlener weißer
Pfeffer

1 Packung Ramee mit
tagfrischem Rahm
(125 g)

1 1/2 EL Butter

1 gehäufter EL Mehl

350 ml Vollmilch

2 Packungen Iglo Grüne
Küche Schnittlauch

1 TL Gemüsebrühe
(Instant)

1 EL Zitronensaft

Die Kartoffeln schälen, waschen und 10-12 Minuten in Salzwasser kochen. Abgießen und in dünne Scheiben schneiden. Das gefrorene Gemüse aus der Packung nehmen, aber nicht auftauen.

Eine Auflaufform dick ausfetten. Die Kartoffelscheiben und das gefrorene Gemüse abwechselnd einschichten.

Die Eier mit Crème fraîche verschlagen und mit Salz, Pfeffer und Muskat abschmecken. Die Eiermischung über die Kartoffel-Lasagne gießen. Die Form abdecken und die Lasagne 40 Minuten bei 200 °C im vorgeheizten Ofen garen.

Den Käse in ca. 1 cm dicke Scheiben schneiden. Nach Ablauf der Garzeit auf die Lasagne geben und leicht verlaufen lassen.

Aus Butter und Mehl eine helle Mehlschwitze bereiten. Mit Vollmilch aufgießen und 10 Minuten unter mehrmaligem Rühren bei kleiner Hitze köcheln lassen. Anschließend den Schnittlauch zufügen und mit Salz, Pfeffer, Gemüsebrühe und Zitronensaft abschmecken.

Die Lasagne auf vorgewärmten Tellern anrichten und zusammen mit der Schnittlauch-Béchamel servieren.

Kartoffel-Gemüse-Pyramide

400 g festkochende Kartoffeln (AckerGold)

2 Zwiebeln

250 g Champignons

1 EL Petersilie

1 kleiner Blumenkohl

1 EL Öl

20 g Butter

Salz

frisch gemahlener Pfeffer

frisch geriebene Muskatnuß

1 Tomate

1 TL Butter

200 g tiefgefrorener Blattspinat

Butter für die Förmchen

2 Eigelb

2 EL Sahne

20 g aufgelöste Butter

Die Kartoffeln gründlich waschen, in der Schale (möglichst schon am Vortag) kochen, pellen und in Scheiben schneiden. Die Kartoffeln sollten nicht größer als ein Ei sein.

Die Zwiebeln schälen und fein hacken. Die Champignons putzen, nciht waschen, in kleine Scheiben schneiden. Die Petersilie waschen, trockenschleudern und fein schneiden. Den Blumenkohl in grobe Röschen zerteilen und waschen.

Das Öl zusammen mit der Butter in einer Pfanne sehr heiß werden lassen. Die Kartoffeln darin schön braun und knusprig braten, mit Salz und Pfeffer würzen, herausnehmen und beiseite stellen.

In dem Fett 1 Zwiebel glasig schwitzen, die Champignons mit der Petersilie zufügen und darin schmoren, mit Salz und Pfeffer würzen und ebenfalls beiseite stellen.

Den Blumenkohl in kochendem, gesalzenen Wasser garen, abgießen, kalt stellen und durch ein Sieb streichen. Den Brei mit Salz und Muskat abschmecken, beiseite stellen.

Die Tomate kurz in kochendes Wasser tauchen, häuten, die Kerne herausdrücken, das Fruchtfleisch in kleine Würfel schneiden. Die zweite Zwiebel in Butter glasig dünsten. Die Tomatenwürfel und den gefrorenen Spinat hinzufügen, öfters umrühren, bis der Spinat ganz aufgetaut ist. Mit Salz und Pfeffer abschmecken, kurz aufkochen lassen, beiseite stellen.

Kleine Auflaufförmchen mit Butter einfetten. Das Eigelb mit der Sahne und der flüssigen Butter verrühren, mit Salz, Peffer und Muskat würzen.

Zuerst die Kartoffeln, dann Spinat, Blumenkohl und zum Schluß Champignons aufeinanderschichten. Die Schichten jeweils glattstreichen und 1 EL der Eiermischung darübergeben.

In einen Bräter etwas Wasser gießen, die Förmchen hineinstellen und 25 Minuten bei 180 °C im vorgeheizten Ofen garen. Die Förmchen herausnehmen, kurz stehen lassen, stürzen und heiß servieren.

Hefekartoffeln aus Pommern

750 g Kartoffeln

4 Zwiebeln

1 kleine Lauchstange
(100 g)

2 EL Mazola Keimöl

1 Würfel Hefe

1/2 l Wasser

2 gehäufte TL Knorr
Klare Fleischsuppe

5 gehäufte EL (50 g)
Mondamin Klassische
Mehlschwitze, hell

1 Bund Schnittlauch

Salz

Butter für die Form

1 EL Butter als
Flöckchen

Die Kartoffeln gründlich waschen, in der Schale kochen, mit kaltem Wasser abschrecken und noch warm pellen, dann in Scheiben schneiden.

Die Zwiebeln schälen und in Würfel schneiden. Den Lauch putzen, waschen, das dunkle Grün entfernen und die Stange in dünne Ringe schneiden.

Das Öl in einem weiten Topf erhitzen. Die Zwiebeln und den Lauch darin glasig anschwitzen. Die Hefe dazubröckeln und unter Rühren flüssig werden lassen. Das Wasser dazugießen, aufkochen und das Suppenpulver sowie die Mehlschwitze unter Rühren einstreuen und etwa 1 Minute kochen lassen.

Den Schnittlauch waschen und klein schneiden. Die Sauce mit Salz abschmecken und die Schnittlauchröllchen unterrühren.

Eine flache Auflaufform mit Butter einfetten. Abwechselnd die Kartoffelscheiben und die Sauce einfüllen. Auf die letzte Schicht Butterflöckchen setzen. Die Hefekartoffeln bei 200 °C in den vorgeheizten Ofen geben und etwa 45 Minuten backen.

Einen frischen Salat dazu servieren.

Kartoffel-Auflauf mit Kruste

1 kg festkochende Kartoffeln (AckerGold)

2 Gemüsezwiebeln

Butter für die Form

2 EL Sonnenblumenkerne

1/4 l Milch

1/4 l Rinderbrühe

2 Eier

Salz

frisch gemahlener Pfeffer

frisch geriebene Muskatnuß

2 EL kernige Haferflocken

2 EL Paniermehl

Die Kartoffeln schälen, waschen, mit Küchenpapier trockentupfen und in dünne Scheiben schneiden.

Die Zwiebeln schälen, in Viertel und diese in Scheiben schneiden. Eine flache Auflaufform mit Butter einfetten und die Zwiebeln hineinlegen. Die Kartoffelscheiben hineinschichten. Ab und zu die Sonnenblumenkerne dazwischenstreuen.

Die Milch mit der Brühe in eine Schüssel gießen, die Eier dazugeben und gründlich verquirlen. Mit Salz, Pfeffer und Muskat würzen.

Die Haferflocken mit dem Paniermehl vermischen, über die Kartoffeln streuen und das Milch-Gemisch eßlöffelweise darüber verteilen, so daß möglichst zwischen jede Kartoffelscheibe etwas von der Flüssigkeit dringt.

Nach Geschmack kann man während des Backens einige Butterflöckchen aufsetzen.

Bei 200 °C im vorgeheizten Ofen 45-60 Minuten backen. Eventuell nach 30 Minuten mit Alufolie abdecken.

»Döbbekoochen« Rheinischer Kartoffelkuchen

1 kg mehligkochende oder vorwiegend festkochende Kartoffeln

3 Zwiebeln (200 g)

Salz

frisch gemahlener weißer Pfeffer

4 Eier

50 g Butterschmalz

200 g durchwachsener Speck

Diese rheinische Spezialität hieß in alten Zeiten die »Martinsgans des kleinen Mannes«. Lange war der Döbbekoochen von deutschen Speisekarten verbannt; doch hat er heute wieder viele Anhänger und damit zurückgefunden in die Familienküche.

Die Kartoffeln schälen, waschen und grob raffeln. Die Zwiebeln schälen, halbieren und in dünne Scheiben schneiden. Alles vermischen, mit Salz und Pfeffer würzen. Die verquirlten Eier darunterheben.

Einen Bräter mit 20 g Butterschmalz einfetten und die Kartoffel-Zwiebelmasse hineinfüllen. Den Speck in feine Würfel schneiden. Das restliche Butterschmalz in einer Pfanne erhitzen, den feingewürfelten Speck unter Rühren anbräunen und über die Kartoffelmasse geben.

Offen im vorgeheizten Ofen bei 220 °C in 40-45 Minuten backen.

Mit Apfelmus oder Preiselbeerkompott servieren.

Kartoffelpudding mit weißer Tomatensauce

750 g mehligkochende Kartoffeln

150 g gekochter Schinken

20 g Butterschmalz

1 Zwiebel

3 Eier

30 g Mehl

1 TL getrockneter Majoran

Salz

frisch geriebene Muskatnuß

frisch gemahlener weißer Pfeffer

100 ml Sahne

30 g Butterschmalz und Paniermehl für die Form

30 g Butterschmalz

20 g Mehl

100 ml Instant-Brühe

200 ml Milch

Salz

frisch gemahlener Pfeffer

frisch geriebene Muskatnuß

50 ml Sahne

400 g Tomaten

je 3 EL gehackte Petersilie und Schnittlauchröllchen

Die Kartoffeln waschen und mit der Schale kochen. Die Schwarte vom Schinken abschneiden. Den Schinken würfeln, in Butterschmalz glasig braten, herausnehmen und beiseite stellen. Die Kartoffeln pellen und durch die Presse drücken. Mit dem Schinken, der geschälten, gehackten Zwiebel, den Eigelben, dem Mehl und den Gewürzen verrühren. Die Eiweiße und die Sahne getrennt steif schlagen und unterziehen.

Eine verschließbare Puddingform mit Butterschmalz ausfetten und schön gleichmäßig mit Paniermehl ausstreuen, den inneren Zapfen nicht vergessen. Den Kartoffelteig in die Puddingform füllen. Den Deckel schließen und die Form in einen hohen Kochtopf stellen. Soviel heißes Wasser dazugießen, daß die Form zu etwa 2/3 darin steht. Den Kartoffelkuchen im siedenden (nicht kochenden!) Wasserbad 70 Minuten garen, herausnehmen und noch 10 Minuten in der Form stehen lassen.

Inzwischen für die Sauce das Butterschmalz erhitzen und das Mehl darin goldgelb rösten. Unter Rühren mit der Brühe und der Milch aufgießen. Zugedeckt bei geringer Hitze 10 Minuten kochen.

Mit Salz, Pfeffer und Muskat abschmecken. Die Sahne und die gehäuteten, gewürfelten Tomaten untermischen. Die Sauce erhitzen, aber nicht mehr aufkochen. Die Kräuter untermischen.

Die Puddingform kurz in kaltes Wasser tauchen. Den Kuchen rundherum am Rand mit einem spitzen Messer lösen, auf eine Platte stürzen. In Scheiben schneiden und mit der Sauce überziehen. Warm servieren.

Kartoffeln aus der Backstube

Mit Kartoffeln backen, der Versuch lohnt sich!

Kartoffeltaschen Kartoffelhalbmonde

250 g vorwiegend fest-
kochende Kartoffeln
(AckerGold)

125 g Butter

125 g Zucker

1 Päckchen Vanillin-
zucker

2 Eier

500 g Mehl

1 Päckchen Backpulver

1 Prise Salz

8 TL Aprikosenkonfitüre

8 TL Himbeerkonfitüre

1 Eigelb

Hagelzucker

Die Kartoffeln schälen, waschen und kochen. Abgießen, ausdampfen lassen und durch die Kartoffelpresse drücken.

Die Butter mit dem Zucker, Vanillinzucker und den Eiern zu den Kartoffeln geben. Das Mehl mit dem Backpulver darübersieben, das Salz zugeben und einen Knetteig herstellen.

Den Teig in 2 Portionen teilen. Die eine Teighälfte ausrollen und 8 x 10 cm große Rechtecke ausradeln. Auf jedes Rechteck 1 TL Aprikosenkonfitüre geben, übereinanderklappen und mehrmals ein-radeln.

Die andere Teighälfte ebenfalls ausrollen, runde Plätzchen (Durchmesser 8 cm) ausstechen und mit 1 TL Himbeerkonfitüre füllen. Zu Halbmonden zusammenklappen.

Beide Gebäcksorten mit Eigelb bestreichen, mit Hagelzucker bestreuen und 10-15 Minuten bei ca. 190 °C im vorgeheizten Ofen goldbraun backen.

Übrigens: Wenn Kartoffelmonde oder -taschen auf Vorrat gebacken werden, sollte man sie nur ganz hell backen, einfrieren und zum Verzehr frisch aufbacken.

Kartoffelhörnchen

250 g vorwiegend fest-
kochende Kartoffeln
(AckerGold)

300 g Weizenmehl

1 Päckchen Backpulver

70 g Zucker

1 Ei

3 Tropfen Bittermandel-
Backaroma

etwa Salz

1 EL Wasser

50 g kalte Butter

1 Eigelb

Pflaumenmus (Powidl)

Die Kartoffeln am Vor-
tag waschen und in der
Schale kochen. Am
nächsten Tag pellen
und durch die Kartoffel-
presse drücken.

2/3 des Mehls mit dem
Backpulver mischen,
auf ein Backbrett sieben
und in die Mitte eine
Vertiefung drücken. Zu-
cker, Ei, Aroma, Salz
und Wasser in die
Mehlmulde geben und
mit einem Teil des
Mehls zu einem dicken
Brei verarbeiten.

Die durchgepreßten
Kartoffeln dazugeben,
die Butter in Stückchen
daraufgeben und alles
zu einem glatten Teig
verkneten, dabei das
restliche Mehl einar-
beiten.

Den Teig auf ca. 25 x
60 cm ausrollen, quer
in 6 Teile und die Rech-
tecken noch einmal dia-
gonal in insgesamt 12
Dreiecke schneiden. Die
Spitzen mit verschlage-
nem Eigelb bestreichen.

Auf den breiten Teil je
1 TL Pflaumenmus ge-
ben, zu Hörnchen rollen
und auf ein mit Backpa-
pier ausgelegtes Back-
blech legen. Mit dem
restlichen Eigelb be-
streichen.

Im vorgeheizten Ofen
bei 220 °C ca. 20 Mi-
nuten backen.

Übrigens: Man kann
diese Hörnchen auch
pikant mit Hackfleisch-
füllung backen, kann sie
tiefgefrieren und wieder
aufbacken. Am besten
schmecken Kartoffel-
hörnchen warm.

Kartoffel-Schoko-Wurst
Kartoffel-Schoko-Taler

125 g vorwiegend festkochende Kartoffeln (AckerGold)

50 g Butter

120 g Schokoladenkuvertüre Halbbiter

60 g Schokoladenkuvertüre Vollmilch

2 EL Puderzucker

ausgeschabtes Mark von 2 Vanilleschoten

1 gute Prise Salz

5 kleingehackte Walnüsse

Kakaopulver

Die Kartoffeln schälen, waschen, kochen und heiß zerdrücken.

Einen Topf in heißes Wasser stellen und darin die Butter und beide Kuvertüren schmelzen lassen. Vom Herd nehmen, abkühlen lassen und den Kartoffelbrei unterziehen.

Den Puderzucker mit dem Vanillemark, dem Salz und den Nüssen (für Erwachsene nach Belieben 1-2 TL Rum) dazugeben, einrühren und erkalten lassen. Sobald die Masse ganz erkaltet ist, eine Wurst formen und mit Kakaopulver überziehen bzw. darin wälzen oder die Wurst damit besieben. 2-3 Stunden in den Kühlschrank stellen.

Die Wurst in Pergamentpapier wickeln und im Kühlschrank aufbewahren. Oder in Taler aufschneiden und anbieten.

Übrigens: Es ist eine hübsche Geschenkidee, die Wurst in Alufolie zu wickeln und beide Enden mit bunten Bändern zu versehen. In Alu- oder Plastikfolie eingepackt, kann sie tiefgekühlt werden und ist mehrere Wochen haltbar.

Erdäpfelstrudel

300 g vorwiegend fest-
kochende Kartoffeln
(AckerGold)

250 g Mehl

2 EL Öl

1 Ei

1/8 l Wasser

1 TL Essig

1 Prise Salz

80 g Butter

50 g Zucker

2 Eigelb

1 Prise Salz

abgeriebene Schale von
1/2 unbehandelten Zitro-
ne

1/8 l saure Sahne

50 g geriebene Mandeln

20 g in Rum eingelegte
Rosinen

2 Eiweiß

40 g flüssige Butter zum
Bestreichen

Butter für die Form

1/4 l Milch

1 Päckchen Vanillin-
zucker

Die Kartoffeln schälen, waschen, kochen, heiß durch die Kartoffelpresse drücken und beiseite stellen.

Für den Strudelteig das Mehl mit dem Öl, Ei, Wasser, Essig und Salz zu einem Teig verarbeiten und gut durchkneten. Der Teig muß sich glatt und geschmeidig anfühlen. In Alufolie einwickeln und im Kühlschrank mindestens 1/2 Stunde ruhen lassen. Auf einem mit Mehl bestäubten Küchentuch den Teig so lange ausziehen, bis er ganz durchsichtig ist. Man soll das Muster vom Küchentuch durchsehen können.

Die Butter mit dem Zucker und dem Eigelb schaumig rühren. Das Salz und die Zitronenschale dazugeben. Den Kartoffelbrei einarbeiten. Die saure Sahne, die Mandeln und die Rosinen hinzufügen. Zuletzt das Eiweiß zu steifem Schnee schlagen und unterziehen.

Den ausgerollten Strudelteig mit der flüssigen Butter mit einem Pinsel bestreichen. Die Kartoffelmasse auf den Teig setzen und auf vier Fünftel des Teiges verteilen. Den Strudel fest einrollen. Außen ebenfalls mit Butter einpinseln.

Eine rechteckige Auflaufform oder Bratreine dick mit Butter einfetten, den Strudel mit der »Naht« nach unten hineinlegen und bei 180 °C im vorgeheizten Ofen 20 Minuten backen.

Die Milch mit dem Vanillinzucker aufkochen und über den Strudel gießen. So lange weiterbacken, bis die ganze Flüssigkeit aufgesogen ist (ca. 25 Minuten).

Heiß servieren, am besten in der Form. Geschlagene Sahne oder Vanillesauce dazu reichen.

Kartoffelstangen

125 g mehligkochende Kartoffeln (AckerGold)

125 g Butter

125 g Mehl

Salz nach Geschmack

1 Ei

Kümmel

grobes Salz

Mohn

Die Kartoffeln schälen, waschen, kochen und heiß durch die Kartoffelpresse drücken oder reiben. Mit der Butter, dem gesiebten Mehl und Salz zu einem Teig verkneten.

Den Teig in vier Portionen teilen, jede Portion zu Rollen formen und jede Rolle in 15 Stücke schneiden. Aus jedem Stück eine kleine fingerlange Stange rollen, mit dem Buntmesser mehrmals einkerben und mit verquirltem Ei bestreichen.

Die Stangen abwechselnd oder nach Belieben mit Kümmel, Salz, Mohn bestreuen.

Bei 200 °C im vorgeheizten Ofen etwa 10 Minuten goldgelb backen. Lauwarm servieren, so schmecken sie besonders aromatisch und einfach am besten.

Übrigens: Statt die Stangen zu bestreuen (oder zusätzlich) kann man auch feingeriebenen Käse in den Teig einarbeiten. Knoblauchfreunde dürfen ein wenig experimentieren. Hier bietet sich ein weites Feld für die lukullische Versuchsküche, zum Beispiel auch Kräuterstangen.

Register

Quellenangaben

Wir danken den Firmen und Agenturen für ihre Unterstützung in der Bebilderung dieses Buches und für die Überlassung der Ergebnisse ihrer Versuchsküchen.

Bresso Frischkäse / Komplett-Büro, München Seite 83

CMA Butterschmalz / Komplett-Büro, München, Seiten 145, 147

Deutscher Brauer-Bund e. V., Bonn Seite 47, 59

Fischwirtschaftliches Marketing-Institut, Bremerhaven Seiten 91, 121

Knorr/Maizena Koch- und Back-Centrum, Heilbronn Seiten 101, 135, 141

Langnese Iglo GmbH, Hamburg Seiten 31, 61, 127, 137

Maggi Kochstudio, Frankfurt Seite 29

Mc Cain / The Food Professionals, Sprockhövel Seiten 65, 69

Niederländisches Büro für Milcherzeugnisse (Frau Antjes Feinschmecker-Studio) Seiten 19, 23, 25, 77, 81, 95, 97, 103, 105, 125, 129

Sanella / Lutz Böhme, Hamburg Seite 133

Sopexa, Förderungsgemeinschaft für französische Landwirtschaftserzeugnisse, Düsseldorf Seite 99

Terra Nova / Komplett-Büro, München Seiten 17, 39, 89, 107, 131

Alle anderen: CMA, Centrale Marketing-Gesellschaft der deutschen Agrarwirtschaft mbH, Bonn

Eine Frage an alle Leser: Kennen Sie die gute Holland-Butter?